W9-DDV-727

Classiques Larousse

Collection fondée par Félix Guirand, agrégé des lettres

Victor Hugo

Ruy Blas

drame

Édition présentée, annotée et commentée
par
CLAUDE ETERSTEIN
ancien élève de l'E.N.S. de Saint-Cloud
agrégé de lettres modernes

LAROUSSE

© Larousse 1995.
© Larousse Bordas, Paris, 1996.
ISSN 0297-4479.
ISBN 2-03-871185-2.

Sommaire

Victor Hugo et sa légende

Victor Hugo, écrivain de la démesure, donna au XIXe siècle sa forme, sa couleur, son ampleur autant qu'il en reçut le mouvement, qu'il en accueillit le tumulte, qu'il en réfléchit les contradictions.

Dans ce « siècle des révolutions », c'est-à-dire de bouleversements économiques, politiques mais aussi moraux et artistiques, Hugo est sur tous les fronts et donne une réponse singulière aux grandes questions de l'heure : Quel est le sens de l'histoire ? Quel rôle doit y jouer le peuple ? Peut-on encore rêver un progrès de l'homme ? Quelle est la mission sociale de l'écrivain ? Quelles formes littéraires inventer pour des temps nouveaux ?

La voix de Hugo, pour se faire entendre, se déplace de tribune en tribune : quand les salons et les cénacles (voir p. 257) ne lui suffisent plus, quand le roman et la poésie lui semblent trop discrets, il monte sur la scène, donnant avec *Hernani* (1830) et *Ruy Blas* (1838) ses lettres de noblesse au drame romantique. En 1848, l'assemblée du peuple et la rue résonnent encore de sa parole. Pour l'auteur des *Misérables* (1862), l'écrivain doit s'engager.

Le souffle, l'immensité de son œuvre et la permanence de son combat pour la liberté et la justice le font entrer vivant dans la légende. Ce qui n'exclut pas des critiques de la part de ses contemporains. Tout en célébrant le culte de ce géant, chacun en guette les faux pas. Comme Ruy Blas, l'un de ses personnages les plus complexes, le poète apparaît comme un alliage de force et de fragilité. Pour saisir ce paradoxe, il faut entrer dans sa « légende » (au sens étymologique, « ce qui doit être lu »), et lire Victor Hugo.

4

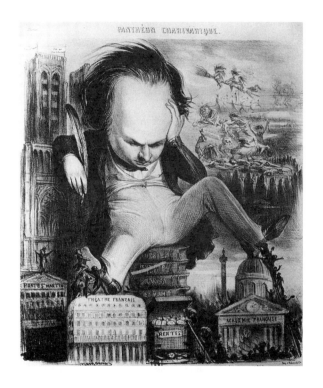

Le Panthéon charivarique.
Victor Hugo caricaturé par Benjamin en 1841.
Bibliothèque nationale, Paris.

Une vie dans l'histoire

L'enfant du siècle

L'enfance et l'adolescence furent pour Victor Hugo aussi mouvementées que la période historique qui le vit naître : déplacé au gré des affectations de son père, Léopold-Sigisbert Hugo, major, colonel puis général d'Empire, partagé entre des parents dont la mésentente va croissant, Victor, né à Besançon le 26 février 1802, court les routes avec sa mère, Sophie Trébuchet, et son frère, Eugène, de collège en pensionnat, de Paris en Italie (1807) puis en Espagne (1811). Le jeune Victor découvre dans ce pays les dures réalités de la guerre. Pendant une année, il est élève interne au collège des Nobles, à Madrid : c'est là une expérience déterminante pour ses deux drames « espagnols » *Hernani* et *Ruy Blas*.

À quatorze ans (1816), Victor, qui est élève au collège Louis-le-Grand, à Paris, prépare Polytechnique, écrit des vers, des tragédies *(Irtamène, Athélie)*. Dans ces premières années de la Restauration, sa vie est déjà un tourbillon d'activités et de succès : il veut « être Chateaubriand ou rien », obtient des mentions à plusieurs concours poétiques, fonde un journal, *le Conservateur littéraire* (1819), compose des odes, affirme ses convictions royalistes et catholiques, se fiance contre l'avis de son père avec son amie d'enfance Adèle Foucher, qu'il épouse en 1822. Ils auront cinq enfants : Léopold-Victor (né en 1823 et mort la même année), Léopoldine (née en 1824), Charles (né en 1826), François-Victor (né en 1828) et Adèle (née en 1830).

S'ouvre alors l'époque des grandes batailles et de la renommée.

Le chef de file du romantisme

Poète (*Odes et poésies diverses,* 1822), romancier (*Han d'Islande,* 1823), Hugo affirme de plus en plus fortement une vision romantique du monde et des êtres : pensionné et décoré par Louis XVIII et Charles X, il célèbre paradoxalement la révolte, fait l'éloge de Napoléon Ier, affirme la primauté de la passion, recherche une nouvelle écriture. Ses livres de prédilection sont ceux des auteurs anciens et modernes qui, par leur grandeur, débordent la tradition classique : Shakespeare, Goethe et Schiller, Byron et Walter Scott. À partir de 1827, il réunit dans son Cénacle un groupe de jeunes artistes aspirant à une transformation du goût. Ils ont nom Musset, Mérimée, Nodier, Vigny, Sainte-Beuve, Dumas, Gautier, Devéria ou Delacroix... Le 25 février 1830, la jeune génération romantique affronte les tenants de l'orthodoxie classique lors de la première représentation du drame de Hugo, *Hernani,* à la Comédie-Française.

Par son évolution vers le libéralisme, Victor Hugo épouse alors le mouvement de son époque : à la « bataille » littéraire du drame romantique répond la révolution politique de juillet 1830. Le retour du peuple sur la scène de l'histoire inspire à l'écrivain romans et pièces de théâtre où des roturiers, des marginaux tiennent les premiers rôles : Quasimodo, le sonneur de cloches bossu de *Notre-Dame de Paris* (1831), Triboulet, le fou de François Ier dans *Le roi s'amuse* (1832), Gilbert, l'ouvrier ciseleur dans *Marie Tudor* (1833).

Malgré les aléas de sa carrière d'auteur dramatique (interdiction du *Roi s'amuse* ; échec de *Marie Tudor*), Hugo continue d'explorer les possibilités de la scène : en 1838, il fait jouer un nouveau drame en vers dont le héros est un laquais : *Ruy Blas.* Huit ans après *Hernani,* c'est un nouveau triomphe houleux.

Dans la période qui suit, Hugo voyage avec Juliette Drouet, l'actrice et l'amie de cœur qu'il a rencontrée en 1833. Son élection à l'Académie française (1841), son titre de pair de France (1845) en font un écrivain quasiment officiel. Pourtant, Hugo garde sa liberté de pensée. Élu député lors de la révolution de 1848, il se brouille avec les conservateurs en se ralliant à la gauche républicaine et en faisant de la question sociale la première de ses préoccupations.

Deux événements bouleversent sa vie : la mort accidentelle de sa fille Léopoldine et de son mari Charles Vacquerie (le 4 septembre 1843) et le coup d'État de Louis-Napoléon Bonaparte (le 2 décembre 1851).

Toile d'araignée, de Victor Hugo.
Plume, lavis et grattoir, 1871.
Musée Victor Hugo, Paris.

Le banni

Exilé par le prince-président, Victor Hugo doit fuir en Belgique, avant de s'installer dans les îles Anglo-Normandes, à Jersey (1852-1855) puis à Guernesey (1855-1870), d'où il défie, dans ses poèmes et ses pamphlets (voir p. 260), le nouvel empereur, fossoyeur de la liberté (*Napoléon le Petit,* 1852 ; *les Châtiments,* 1853). Il est désormais, comme il le dit dans la préface des *Contemplations* (1856), « un esprit qui marche de lueur en lueur en laissant derrière lui la jeunesse, l'amour, l'illusion, le combat, le désespoir et qui s'arrête éperdu au bord de l'abime ».

Le souffle de l'épopée (voir p. 258) continue pourtant de traverser sa poésie (*la Légende des siècles,* 1859) et ses romans (*les Misérables,* 1862 ; *les Travailleurs de la mer,* 1866 ; *l'Homme qui rit,* 1869). La parole du banni, interdite au théâtre, s'ouvre une nouvelle fois à celle des exclus.

Un « saint républicain »

Revenu à Paris le lendemain de la proclamation de la république, le 5 septembre 1870, Hugo recueille des partisans de la Commune pourchassés et lutte au Sénat — où il sera élu en 1876 — pour leur amnistie.

Jusqu'à son dernier jour, il inscrit son œuvre dans l'histoire présente (*l'Année terrible,* 1872) et passée (*Quatrevingt-Treize,* 1874). Sa mort, le 14 mai 1885, donne lieu à des funérailles nationales et populaires.

Cet écrivain conscient de son génie ne plaça jamais son orgueil au-dessus de l'humanité. « Est-ce donc la vie d'un homme ? Oui, et la vie des autres hommes aussi. Nul de nous n'a l'honneur d'avoir une vie qui soit à lui » (Préface des *Contemplations*). Solitaire et pourtant solidaire, Hugo fit des mots « progrès », « justice », « liberté » et « paix » les quatre piliers d'un nouvel évangile humaniste.

Hugo

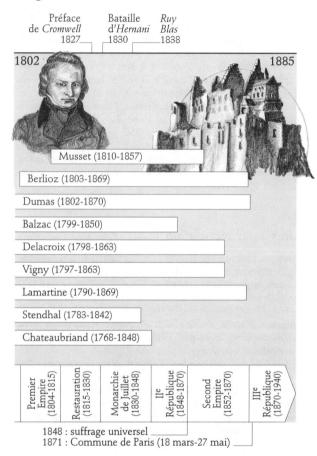

Préface de *Cromwell* 1827

Bataille d'*Hernani* 1830

Ruy Blas 1838

1802   1885

Musset (1810-1857)

Berlioz (1803-1869)

Dumas (1802-1870)

Balzac (1799-1850)

Delacroix (1798-1863)

Vigny (1797-1863)

Lamartine (1790-1869)

Stendhal (1783-1842)

Chateaubriand (1768-1848)

Premier Empire (1804-1815)

Restauration (1815-1830)

Monarchie de Juillet (1830-1848)

IIᵉ République (1848-1870)

Second Empire (1852-1870)

IIIᵉ République (1870-1940)

1848 : suffrage universel
1871 : Commune de Paris (18 mars-27 mai)

Petite histoire
du drame hugolien

Hugo, théoricien et créateur
du drame romantique

Ruy Blas peut être considéré, en 1838, comme l'aboutissement des recherches menées depuis une dizaine d'années par Hugo pour créer un nouveau genre littéraire, au confluent de plusieurs écritures : le drame romantique.

Ces recherches sont à la fois expérimentales et théoriques : Hugo fait précéder ses pièces de préfaces, programme du drame à venir et bilan des précédents. La plus célèbre d'entre elles, la *Préface de Cromwell* (1827), est le manifeste d'un théâtre qui veut dépasser la tradition classique, accusée d'avoir enfermé la poésie dramatique « dans les dogmes et dans les règles ». Or, selon Hugo, le génie ne doit pas être immobilisé et stérilisé par des modèles et des autorités.

Si l'art, comme le souhaite l'écrivain, se donne pour mission de représenter la complexité de la vie, il ne peut être ramené à la recherche de la pure beauté. Ainsi, la *Préface de Cromwell* rejette la division jugée artificielle que le théâtre classique institue entre la tragédie, consacrée aux sujets nobles, et la comédie, spectacle de la simple humanité. Le drame, pour « peindre la vie » complète, doit réaliser la fusion des extrêmes, en visant le sublime tout en exploitant la fécondité du grotesque (voir p. 259). Ainsi, dans l'univers théâtral hugolien, les bouffons côtoient les rois, le comique se mêle au tragique, Ruy Blas, un laquais, est le « ver de terre amoureux d'une étoile », la reine d'Espagne.

Les maîtres mots de cette révolution dramaturgique sont la liberté et la totalité. Une « action encadrée de force dans les vingt-quatre heures est aussi ridicule qu'encadrée dans le vestibule » affirme la *Préface de Cromwell.* Dès lors les unités du théâtre classique volent en éclats : à un lieu unique et un temps arbitrairement limité est préférée une succession de tableaux qui permettent d'orchestrer la mise en scène d'une histoire aux vastes proportions dans des décors variés et pittoresques et dans une durée étendue à plusieurs mois, comme dans *Ruy Blas.*

Le choix du vers ou de la prose est un autre enjeu esthétique important : Hugo, après plusieurs drames en prose, retrouve dans *Ruy Blas* l'alexandrin qui a provoqué le scandale et le triomphe d'*Hernani,* un vers « libre, franc, loyal, osant tout dire sans pruderie, tout exprimer sans recherche » *(Préface de Cromwell).*

Le drame à la recherche d'un public

Cette liberté du vers et plus généralement de l'écriture théâtrale a, pour Hugo comme pour tous les dramaturges romantiques, un « père » : William Shakespeare (1564-1616), l'auteur de *Hamlet,* célébré par Stendhal dès 1823 dans *Racine et Shakespeare.* À Paris, en 1827, la jeune génération romantique découvre avec enthousiasme le jeu puissant et réaliste des comédiens anglais. Vigny traduit *Othello* en vers (*le More de Venise,* 1829) et affirme, comme Hugo, la nécessité d'un style nouveau, mêlant, comme dans le drame shakespearien, la familiarité du comique au tragique et à l'épique (voir p. 258).

Le mélodrame influence également le drame romantique. Ce genre populaire à grand spectacle triomphe au XIXe siècle sous l'impulsion de Guilbert de Pixérécourt, directeur du théâtre de la Gaîté et auteur à succès. Ses pièces baroques où se multiplient les rebondissements imprévus dans des lieux effrayants proposent des émotions à bon marché tout en délivrant un message moralisateur : le méchant, le traître y sont généralement punis, et l'innocence récompensée. Hugo, spectateur passionné dans son enfance des drames de

Pixérécourt, donnera à plusieurs de ses pièces, et en particulier à *Ruy Blas*, l'intensité émotionnelle du mélodrame en multipliant les coups de théâtre.

Les créateurs du drame romantique (Hugo, Dumas, Vigny, Musset) veulent inventer un langage dramatique inédit afin de toucher un vaste public. Mais les résistances sont nombreuses : la plupart des critiques sont défavorables aux romantiques, accusés d'excès, de mauvais goût, de confusion des styles. Le public lui-même est partagé et souvent désorienté : Hugo connaît autant d'échecs (*Le roi s'amuse*, 1832 ; *Marie Tudor*, 1833 ; *les Burgraves*, 1843) que de succès (*Hernani*, 1830 ; *Lucrèce Borgia*, 1833 ; *Angelo*, 1834). Quant aux acteurs, ils manifestent parfois leurs réticences devant les audaces du nouveau théâtre : ainsi, Victor Hugo, qui assure lui-même la mise en scène de ses pièces, entre en conflit ouvert avec la très classique Comédie-Française en 1837 et fait jouer *Ruy Blas* sur une nouvelle scène, le théâtre de la Renaissance, qu'il contribue à ouvrir avec son ami Dumas et que dirige Anténor Joly. Hugo confie au grand acteur du mélodrame, Frédérick Lemaître, le rôle-titre.

La nature politique du conflit persistant entre le drame romantique et une large partie du public peut être clairement établie.

La scène politique des années 1830

C'est par leur façon de représenter l'histoire et par les audacieux rapprochements qu'ils établissent entre le passé et le présent (voir *Lorenzaccio* de Musset en 1834) que les romantiques choquent la partie la plus conservatrice du public.

Le drame romantique ne veut pas être la représentation éthérée d'une humanité idéale mais le spectacle de l'homme aux prises avec l'histoire. Ainsi Hugo, dans *Ruy Blas*, choisit de couvrir son drame « des ténèbres d'un crépuscule » (préface de *Ruy Blas*), en brossant le tableau du déclin de la monarchie espagnole au XVIIᵉ siècle, sous le règne du roi Charles II. Dans ce cas, comme souvent chez Hugo, le drame a clairement une intention pédagogique : « l'histoire que le théâtre explique » (préface de *Marie Tudor*) est vue à travers ses crises, ses incertitudes, ses leurres. Si elle apparaît fracturée, c'est que l'écrivain voit, dans son propre siècle et en particulier dans les années qui suivent la révolution de 1830, les signes d'une décadence de la royauté : la monarchie de Juillet de Louis-Philippe, qui hésite entre libéralisme et autoritarisme, lui semble un régime condamné. La course aux places, la corruption, le mercantilisme peints à cette époque dans *la Comédie humaine* de Balzac sont transposés dans *Ruy Blas* à la cour du roi d'Espagne. La pièce est une étape importante dans l'évolution de Victor Hugo du monarchisme de ses jeunes années au républicanisme d'après 1848.

Frédérick Lemaître interprété par Pierre Brasseur et Garance (Arletty) dans le film de M. Carné, *les Enfants du paradis,* 1945.

Doit-on voir dans la promotion de Ruy Blas de laquais en homme d'État l'apologie du grand homme providentiel (Napoléon Ier) ou doit-on lire, au contraire, le dénouement tragique comme l'accomplissement d'une obscure fatalité qui interdit à Ruy Blas, représentant du peuple, de monter sur la scène de l'histoire ? Le message politique de *Ruy Blas* est ambigu parce que le théâtre de Hugo, comme mise en scène de forces opposées, est un art de l'ambiguïté.

« Je m'appelle
Ruy Blas... »

L'action de *Ruy Blas* peut être lue (et vue) comme la tentative d'un homme pour obtenir une reconnaissance que sa condition de valet rend difficile, voire impossible, à atteindre. C'est dans l'affrontement avec son maître, don Salluste, et par la grâce de la femme qu'il aime, la reine d'Espagne, que Ruy Blas se fait un nom. Mais auparavant il doit endosser l'habit d'un autre. Il se dédouble en don César, grand d'Espagne, et il lui faut cinq actes pour pouvoir quitter ce masque et affirmer : « Je m'appelle Ruy Blas... »

« Drame de la conscience » d'un héros en quête d'identité, *Ruy Blas* est aussi un drame historique et social : comme le souligne Hugo, la pièce est le tableau d'une monarchie qui va s'écrouler et d'une noblesse qui « tend à se dissoudre », mais elle donne surtout à voir « dans l'ombre quelque chose de grand, de sombre et d'inconnu. C'est le peuple. Le peuple qui a l'avenir et qui n'a pas le présent ; le peuple orphelin, pauvre, intelligent et fort ; placé très bas et aspirant très haut [...]. Le peuple, ce serait Ruy Blas » (Préface du drame).

Costume pour Ruy Blas par Boulanger.
Musée Victor Hugo, Paris.

16

La vengeance de Don Salluste (acte I)

Ruy Blas apparaît au lever du rideau comme une ombre, un personnage sans consistance, anonyme sous sa livrée de laquais. C'est don Salluste, grand seigneur de la cour du roi Charles II d'Espagne, qui conduit l'intrigue ; il ourdit une terrible machination contre la reine, qui l'a humilié.

Avant de partir en exil, Salluste, homme de pouvoir et qui entend le rester, tisse dans l'ombre sa toile. Il tente d'abord de faire entrer dans ses projets son cousin César, un noble ruiné, depuis longtemps disparu de la cour, vivant de menus larcins, ami des brigands de Madrid, rimant à ses heures. Salluste et César offrent un étonnant contraste : d'un côté le traître, en habit de cour, l'âme corrompue et corruptrice, de l'autre, en haillons, le voleur au grand cœur, « mélange du poète, du gueux et du prince » (Préface).

Devant le refus de don César de prêter la main à une action basse, Salluste le fait arrêter et choisit Ruy Blas comme instrument de sa vengeance. Il fait endosser à son laquais un manteau et une épée de grand seigneur et le présente à la cour comme son cousin César. Il obtient alors de Ruy Blas l'engagement écrit d'une totale obéissance et lui ordonne de plaire à la reine et d'être son amant. Or, Ruy Blas, comme il l'a révélé en confidence à don César, son ancien compagnon de misère, est précisément amoureux de la reine.

Costume pour la reine
par Boulanger.
Musée Victor Hugo,
Paris.

17

La reine de cœur (acte II)

La jeune reine d'Espagne, doña Maria de Neubourg, est au centre du deuxième acte. « C'est l'après-midi d'une belle journée d'été. » Enfermée dans son palais, délaissée par son mari parti à la chasse, surveillée par duègnes et majordomes, la reine s'ennuie. Au sommet des honneurs, elle incarne pourtant la servitude de la femme soumise à l'étiquette très stricte de la cour d'Espagne, nostalgique de son Allemagne natale. Elle rêve aux fleurs de son pays qu'un jeune homme inconnu dépose chaque jour sur un banc du parc protégé par de hauts murs et où on la laisse se promener.

Elle pense encore à la lettre d'amour qu'elle a reçue de lui, lorsque se présente un jeune seigneur, messager du roi. C'est Ruy Blas, devenu don César. De plus en plus troublée, la reine, à plusieurs signes, reconnaît en lui l'auteur de la lettre. Elle réussit à le sauver d'une provocation en duel, dévoilant ainsi en partie ses sentiments.

Ruy Blas est-il un César ? (acte III)

L'acte III marque l'apogée de la carrière de Ruy Blas-don César. C'est le grand moment politique du drame. Devenu le favori de la reine, Ruy Blas s'attire la haine des courtisans, ces grands seigneurs qui, confondant leurs intérêts privés et les affaires publiques, pillent les richesses de l'Espagne. Surprenant leur conciliabule, il leur lance un ironique « Bon appétit, messieurs ! » et, dans une éloquente tirade, leur reproche de festoyer aux dépens du peuple avant de les renvoyer l'un après l'autre. La reine, dissimulée derrière un rideau, a été le témoin muet de cet éclat public où Ruy Blas s'est affirmé comme homme d'État. Elle lui demande de sauver l'Espagne et finit par lui déclarer son amour.

Resté seul, Ruy Blas savoure un court instant de bonheur. Don

Salluste survient alors et brise son rêve en lui rappelant le pacte diabolique qui les lie et que Ruy Blas a signé de sa main : « J'étais tourné vers l'ange et le démon venait ». C'est, pour le héros, l'heure du déchirement : redeviendra-t-il, pour son malheur et celui de la reine, le serviteur de Salluste ? Choisira-t-il au contraire la révolte ? Le dénouement est retardé par les péripéties des deux derniers actes.

Ruy Blas à la Comédie-Française en 1885, avec Mounet-Sully (Ruy Blas), Paul Mounet (don Salluste) et Marthe Brandès (la reine). Bibliothèque de la Comédie-Française.

Le châtiment du traître et la mort du héros (actes IV et V)

Le décor de l'acte IV est celui du mélodrame, l'atmosphère, celle de la comédie mêlée d'angoisse : dans l'obscur repère où don Salluste compte prendre au piège la reine, surgit le vrai don César — qu'on croyait mort. Suit une série de savoureux quiproquos où cet aventurier fantasque fait briller sa gaieté, son esprit et son intarissable faconde. Il ne peut cependant résister au plan infernal de son sinistre cousin qui le fait derechef arrêter.

C'est désormais à Ruy Blas et à lui seul d'affronter son maître. L'acte V présente un dénouement ambigu : Ruy Blas ne peut empêcher don Salluste d'attirer dans sa toile la reine. Celle-ci se rend imprudemment dans la maison secrète de son ennemi. Ruy Blas doit lui avouer lui-même qu'il n'est qu'un valet. Après cet échec et cette humiliation, il n'a d'autre voie que le suicide. En ce sens, Ruy Blas est bien un héros de la fatalité. Mais, avant de mettre fin à ses jours, il s'affirme aussi comme un héros de la liberté ou du moins de la révolte. Pour sauver l'honneur de la reine, il se dresse face au traître Salluste, qu'il tue d'un coup d'épée. Rompant ainsi son pacte avec le « diable », il peut obtenir, avant de rendre l'âme, le pardon de la reine. L'« ange » prenant dans ses bras Ruy Blas, le laquais, donne à sa mort le caractère d'une rédemption. Celle du peuple, abattu mais enfin reconnu.

Manuscrit de *Ruy Blas*
avec une esquisse de décor pour le premier acte.
Bibliothèque nationale, Paris.

21

Étude de la tête de Victor Hugo
par Auguste Rodin (1840-1917).
Maison Victor Hugo, Paris.

HUGO

Ruy Blas

drame
représenté pour la première fois
le 8 novembre 1838
au théâtre de la Renaissance

Préface

Trois espèces de spectateurs composent ce qu'on est convenu d'appeler le public : premièrement, les femmes ; deuxièmement, les penseurs ; troisièmement, la foule proprement dite. Ce que la foule demande presque exclusivement à l'œuvre dramatique,
5 c'est de l'action ; ce que les femmes y veulent avant tout, c'est de la passion ; ce qu'y cherchent plus spécialement les penseurs, ce sont des caractères. Si l'on étudie attentivement ces trois classes de spectateurs, voici ce qu'on remarque : la foule est tellement amoureuse de l'action qu'au besoin elle fait bon marché des
10 caractères et des passions. Les femmes, que l'action intéresse d'ailleurs, sont si absorbées par les développements de la passion, qu'elles se préoccupent peu du dessin des caractères ; quant aux penseurs, ils ont un tel goût de voir des caractères, c'est-à-dire, des hommes vivre sur la scène, que, tout en
15 accueillant volontiers la passion comme incident naturel dans l'œuvre dramatique, ils en viennent presque à y être importunés par l'action. Cela tient à ce que la foule demande surtout au théâtre des sensations ; la femme, des émotions ; le penseur, des méditations : tous veulent un plaisir, mais ceux-ci, le plaisir des
20 yeux ; celles-là, le plaisir du cœur ; les derniers, le plaisir de l'esprit. De là, sur notre scène, trois espèces d'œuvres bien distinctes, l'une vulgaire et inférieure, les deux autres illustres et supérieures, mais qui toutes les trois satisfont un besoin : le mélodrame pour la foule ; pour les femmes, la tragédie qui
25 analyse la passion ; pour les penseurs, la comédie qui peint l'humanité.

Disons-le en passant, nous ne prétendons rien établir de rigoureux, et nous prions le lecteur d'introduire de lui-même

24

dans notre pensée les restrictions qu'elle peut contenir. Les
30 généralités admettent toujours les exceptions ; nous savons fort
bien que la foule est une grande chose dans laquelle on trouve
tout, l'instinct du beau comme le goût du médiocre, l'amour de
l'idéal comme l'appétit du commun ; nous savons également
que tout penseur complet doit être femme par les côtés délicats
35 du cœur ; et nous n'ignorons pas que, grâce à cette loi
mystérieuse qui lie les sexes l'un à l'autre aussi bien par l'esprit
que par le corps, bien souvent dans une femme il y a un penseur.
Ceci posé, et après avoir prié de nouveau le lecteur de ne pas
attacher un sens trop absolu aux quelques mots qui nous restent
40 à dire, nous reprenons.

Pour tout homme qui fixe un regard sérieux sur les trois sortes
de spectateurs dont nous venons de parler, il est évident qu'elles
ont toutes les trois raison. Les femmes ont raison de vouloir être
émues, les penseurs ont raison de vouloir être enseignés, la foule
45 n'a pas tort de vouloir être amusée. De cette évidence se déduit
la loi du drame. En effet, au-delà de cette barrière de feu qu'on
appelle la rampe du théâtre et qui sépare le monde réel du
monde idéal, créer et faire vivre, dans les conditions combinées
de l'art et de la nature, des caractères, c'est-à-dire, et nous le
50 répétons, des hommes ; dans ces hommes, dans ces caractères,
jeter des passions qui développent ceux-ci et modifient ceux-là ;
et enfin, du choc de ces caractères et de ces passions avec les
grandes lois providentielles, faire sortir de la vie humaine,
c'est-à-dire des événements grands, petits, douloureux,
55 comiques, terribles, qui contiennent pour le cœur ce plaisir
qu'on appelle l'intérêt, et pour l'esprit cette leçon qu'on appelle
la morale : tel est le but du drame. On le voit ; le drame tient de la
tragédie par la peinture des passions, et de la comédie par la
peinture des caractères. Le drame est la troisième grande forme
60 de l'art, comprenant, enserrant et fécondant les deux premières.
Corneille et Molière existeraient indépendamment l'un de
l'autre, si Shakespeare n'était entre eux, donnant à Corneille la
main gauche, à Molière la main droite. De cette façon les deux

électricités opposées de la comédie et de la tragédie se
65 rencontrent et l'étincelle qui en jaillit, c'est le drame.

En expliquant, comme il les entend et comme il les a déjà
indiqués plusieurs fois, le principe, la loi et le but du drame,
l'auteur est loin de se dissimuler l'exiguïté de ses forces et la
brièveté de son esprit. Il définit ici, qu'on ne s'y méprenne pas,
70 non ce qu'il a fait, mais ce qu'il a voulu faire. Il montre ce qui a
été pour lui le point de départ. Rien de plus.

Nous n'avons en tête de ce livre que peu de lignes à écrire et
l'espace nous manque pour les développements nécessaires.
Qu'on nous permette donc de passer, sans nous appesantir
75 autrement sur la transition, des idées générales que nous venons
de poser et qui, selon nous, toutes les conditions de l'idéal étant
maintenues du reste, régissent l'art tout entier, à quelques-unes
des idées particulières que ce drame, *Ruy Blas,* peut soulever
dans les esprits attentifs.

80 Et premièrement, pour ne prendre qu'un des côtés de la
question, au point de vue de la philosophie de l'histoire, quel est
le sens de ce drame ? — Expliquons-nous.

Au moment où une monarchie va s'écrouler, plusieurs
phénomènes peuvent être observés. Et d'abord la noblesse tend
85 à se dissoudre. En se dissolvant, elle se divise, et voici de quelle
façon :

Le royaume chancelle, la dynastie s'éteint, la loi tombe en
ruine ; l'unité politique s'émiette aux tiraillements de l'intrigue ;
le haut de la société s'abâtardit et dégénère ; un mortel
90 affaiblissement se fait sentir à tous, au dehors comme au
dedans ; les grandes choses de l'État sont tombées, les petites
seules sont debout, triste spectacle public ; plus de police, plus
d'armée, plus de finances ; chacun devine que la fin arrive. De là,
dans tous les esprits, ennui de la veille, crainte du lendemain,
95 défiance de tout homme, découragement de toute chose, dégoût
profond. Comme la maladie de l'État est dans la tête, la noblesse,
qui y touche, en est la première atteinte. Que devient-elle alors ?
Une partie des gentilshommes, la moins honnête et la moins

généreuse, reste à la cour. Tout va être englouti, le temps presse,
100   il faut se hâter, il faut s'enrichir, s'agrandir, et profiter des
circonstances. On ne songe plus qu'à soi. Chacun se fait, sans
pitié pour le pays, une petite fortune particulière dans un coin de
la grande infortune publique. On est courtisan, on est ministre,
on se dépêche d'être heureux et puissant. On a de l'esprit, on se
105   déprave, et l'on réussit. Les ordres de l'État, les dignités, les
places, l'argent, on prend tout, on veut tout, on pille tout. On ne
vit plus que par l'ambition et la cupidité. On cache les désordres
secrets que peut engendrer l'infirmité humaine sous beaucoup
de gravité extérieure. Et, comme cette vie acharnée aux vanités
110   et aux jouissances de l'orgueil a pour première condition l'oubli
de tous les sentiments naturels, on y devient féroce. Quand le
jour de la disgrâce arrive, quelque chose de monstrueux se
développe dans le courtisan tombé, et l'homme se change en
démon.
115   L'état désespéré du royaume pousse l'autre moitié de la
noblesse, la meilleure et la mieux née, dans une autre voie. Elle
s'en va chez elle. Elle rentre dans ses palais, dans ses châteaux,
dans ses seigneuries. Elle a horreur des affaires, elle n'y peut rien,
la fin du monde approche ; qu'y faire et à quoi bon se désoler ? Il
120   faut s'étourdir, fermer les yeux, vivre, boire, aimer, jouir. Qui
sait ? A-t-on même un an devant soi ? Cela dit, ou même
simplement senti, le gentilhomme prend la chose au vif, décuple
sa livrée [1], achète des chevaux, enrichit des femmes, ordonne des
fêtes, paie des orgies, jette, donne, vend, achète, hypothèque,
125   compromet, dévore, se livre aux usuriers et met le feu aux quatre
coins de son bien. Un beau matin, il lui arrive un malheur. C'est
que, quoique la monarchie aille grand train, il s'est ruiné avant
elle. Tout est fini, tout est brûlé. De toute cette belle vie
flamboyante, il ne reste pas même de la fumée ; elle s'est

---

1. *Décuple sa livrée* : multiplie ses domestiques.

130 envolée. De la cendre, rien de plus. Oublié et abandonné de tous, excepté de ses créanciers, le pauvre gentilhomme devient alors ce qu'il peut, un peu aventurier, un peu spadassin[1], un peu bohémien. Il s'enfonce et disparaît dans la foule, grande masse terne et noire que, jusqu'à ce jour, il a à peine entrevue de loin
135 sous ses pieds. Il s'y plonge, il s'y réfugie. Il n'a plus d'or, mais il lui reste le soleil, cette richesse de ceux qui n'ont rien. Il a d'abord habité le haut de la société, voici maintenant qu'il vient se loger dans le bas, et qu'il s'en accommode ; il se moque de son parent l'ambitieux, qui est riche et qui est puissant ; il devient
140 philosophe, et il compare les voleurs aux courtisans. Du reste, bonne, brave, loyale et intelligente nature ; mélange du poète, du gueux et du prince ; riant de tout ; faisant aujourd'hui rosser le guet par ses camarades comme autrefois par ses gens, mais n'y touchant pas ; alliant dans sa manière, avec quelque grâce,
145 l'impudence du marquis à l'effronterie du zingaro[2] ; souillé au dehors, sain au dedans ; et n'ayant plus du gentilhomme que son honneur qu'il garde, son nom qu'il cache, et son épée qu'il montre.

Si le double tableau que nous venons de tracer s'offre dans
150 l'histoire de toutes les monarchies à un moment donné, il se présente particulièrement en Espagne d'une façon frappante à la fin du dix-septième siècle. Ainsi, si l'auteur avait réussi à exécuter cette partie de sa pensée, ce qu'il est loin de supposer, dans le drame qu'on va lire, la première moitié de la noblesse
155 espagnole à cette époque se résumerait en don Salluste, et la seconde moitié en don César. Tous deux cousins, comme il convient.

Ici, comme partout, en esquissant ce croquis de la noblesse castillane vers 1695, nous réservons, bien entendu, les rares et
160 vénérables exceptions. — Poursuivons.

---

1. *Spadassin :* homme d'épée et parfois assassin à gages.
2. *Zingaro :* bohémien.

En examinant toujours cette monarchie et cette époque, au-dessous de la noblesse ainsi partagée, et qui pourrait, jusqu'à un certain point, être personnifiée dans les deux hommes que nous venons de nommer, on voit remuer dans l'ombre quelque
165 chose de grand, de sombre et d'inconnu. C'est le peuple. Le peuple, qui a l'avenir et qui n'a pas le présent ; le peuple, orphelin, pauvre, intelligent et fort ; placé très bas, et aspirant très haut ; ayant sur le dos les marques de la servitude et dans le cœur les préméditations du génie ; le peuple, valet des grands
170 seigneurs, et amoureux, dans sa misère et dans son abjection, de la seule figure qui, au milieu de cette société écroulée, représente pour lui, dans un divin rayonnement, l'autorité, la charité et la fécondité. Le peuple, ce serait Ruy Blas.

Maintenant, au-dessus de ces trois hommes, qui, ainsi
175 considérés, feraient vivre et marcher, aux yeux du spectateur, trois faits, et dans ces trois faits, toute la monarchie espagnole du XVIIᵉ siècle ; au-dessus de ces trois hommes, disons-nous, il y a une pure et lumineuse créature, une femme, une reine. Malheureuse comme femme, car elle est comme si elle n'avait
180 pas de mari ; malheureuse comme reine, car elle est comme si elle n'avait pas de roi ; penchée vers ceux qui sont au-dessous d'elle par pitié royale et par instinct de femme aussi peut-être, et regardant en bas pendant que Ruy Blas, le peuple, regarde en haut.

185 Aux yeux de l'auteur, et sans préjudice de ce que les personnages accessoires peuvent apporter à la vérité de l'ensemble, ces quatre têtes ainsi groupées résumeraient les principales saillies qu'offrait au regard du philosophe historien la monarchie espagnole il y a cent quarante ans. À ces quatre têtes
190 il semble qu'on pourrait en ajouter une cinquième, celle du roi Charles II. Mais, dans l'histoire comme dans le drame, Charles II d'Espagne n'est pas une figure, c'est une ombre.

À présent, hâtons-nous de le dire, ce qu'on vient de lire n'est point l'explication de *Ruy Blas*. C'en est simplement un des
195 aspects. C'est l'impression particulière que pourrait laisser ce

drame, s'il valait la peine d'être étudié, à l'esprit grave et consciencieux qui l'examinerait, par exemple, du point de vue de la philosophie de l'histoire.

Mais, si peu qu'il soit, ce drame, comme toutes les choses de
200 ce monde, a beaucoup d'autres aspects et peut être envisagé de beaucoup d'autres manières. On peut prendre plusieurs vues d'une idée comme d'une montagne. Cela dépend du lieu où l'on se place. Qu'on nous passe, seulement pour rendre claire notre idée, une comparaison infiniment trop ambitieuse : le mont
205 Blanc, vu de la Croix-de-Fléchères, ne ressemble pas au mont Blanc vu de Sallanches[1]. Pourtant c'est toujours le mont Blanc.

De même, pour tomber d'une très grande chose à une très petite, ce drame, dont nous venons d'indiquer le sens historique,
210 offrirait une tout autre figure, si on le considérait d'un point de vue beaucoup plus élevé encore, du point de vue purement humain. Alors don Salluste serait l'égoïsme absolu, le souci sans repos ; don César, son contraire, serait le désintéressement et l'insouciance ; on verrait dans Ruy Blas le génie et la passion
215 comprimés par la société et s'élançant d'autant plus haut que la compression est plus violente ; la reine enfin, ce serait la vertu minée par l'ennui.

Au point de vue uniquement littéraire, l'aspect de cette pensée telle quelle intitulée : *Ruy Blas,* changerait encore. Les trois
220 formes souveraines de l'art pourraient y paraître personnifiées et résumées. Don Salluste serait le Drame, don César la Comédie, Ruy Blas la Tragédie. Le drame noue l'action, la comédie l'embrouille, la tragédie la tranche.

Tous ces aspects sont justes et vrais, mais aucun d'eux n'est
225 complet. La vérité absolue n'est que dans l'ensemble de l'œuvre. Que chacun y trouve ce qu'il y cherche, et le poète, qui ne s'en

---

1. *La Croix-de-Fléchères ... Sallanches :* sites des Alpes découverts par Hugo lors de son voyage avec Nodier au mont Blanc (1825).

flatte pas du reste, aura atteint son but. Le sujet philosophique de
Ruy Blas, c'est le peuple aspirant aux régions élevées ; le sujet
humain, c'est un homme qui aime une femme ; le sujet
230 dramatique, c'est un laquais qui aime une reine. La foule qui se
presse chaque soir devant cette œuvre, parce qu'en France
jamais l'attention publique n'a fait défaut aux tentatives de
l'esprit, quelles qu'elles soient d'ailleurs, la foule, disons-nous,
ne voit dans *Ruy Blas* que ce dernier sujet, le sujet dramatique, le
235 laquais ; et elle a raison.

Et ce que nous venons de dire de *Ruy Blas* nous semble évident
de tout autre ouvrage. Les œuvres vénérables des maîtres ont
même cela de remarquable qu'elles offrent plus de faces à
étudier que les autres. Tartuffe[1] fait rire ceux-ci et trembler
240 ceux-là. Tartuffe, c'est le serpent domestique ; ou bien c'est
l'hypocrite ; ou bien c'est l'hypocrisie. C'est tantôt un homme,
tantôt une idée. Othello[2] pour les uns, c'est un noir qui aime une
blanche ; pour les autres, c'est un parvenu qui a épousé une
patricienne ; pour ceux-là, c'est un jaloux ; pour ceux-ci, c'est la
245 jalousie. Et cette diversité d'aspects n'ôte rien à l'unité
fondamentale de la composition. Nous l'avons déjà dit ailleurs :
mille rameaux et un tronc unique.

Si l'auteur de ce livre a particulièrement insisté sur la
signification historique de *Ruy Blas,* c'est que dans sa pensée, par
250 le sens historique, et, il est vrai, par le sens historique
uniquement, *Ruy Blas* se rattache à *Hernani.* Le grand fait de la
noblesse se montre, dans *Hernani* comme dans *Ruy Blas,* à côté
du grand fait de la royauté. Seulement, dans *Hernani,* comme la
royauté absolue n'est pas faite, la noblesse lutte encore contre le
255 roi, ici avec l'orgueil, là avec l'épée ; à demi féodale, à demi
rebelle. En 1519, le seigneur vit loin de la cour dans la montagne,
en bandit comme Hernani, ou en patriarche comme Ruy

---

1. *Tartuffe* : héros d'une comédie de Molière (1664).
2. *Othello* : héros d'un drame de Shakespeare (v. 1604).

Gomez[1]. Deux cents ans plus tard, la question est retournée. Les
vassaux sont devenus des courtisans. Et si le seigneur sent encore
260 d'aventure le besoin de cacher son nom, ce n'est pas pour
échapper au roi, c'est pour échapper à ses créanciers. Il ne se fait
pas bandit, il se fait bohémien. — On sent que la royauté absolue
a passé pendant de longues années sur ces nobles têtes, courbant
l'une, brisant l'autre.

265   Et puis, qu'on nous permette ce dernier mot : entre *Hernani* et
Ruy Blas, deux siècles de l'Espagne sont encadrés ; deux grands
siècles, pendant lesquels il a été donné à la descendance de
Charles Quint de dominer le monde ; deux siècles que la
Providence, chose remarquable, n'a pas voulu allonger d'une
270 heure, car Charles Quint naît en 1500, et Charles II meurt en
1700. En 1700, Louis XIV héritait[2] de Charles Quint, comme en
1800 Napoléon héritait de Louis XIV. Ces grandes apparitions de
dynasties qui illuminent par moments l'histoire sont pour
l'auteur un beau et mélancolique spectacle sur lequel ses yeux se
275 fixent souvent. Il essaie parfois d'en transporter quelque chose
dans ses œuvres. Ainsi il a voulu remplir *Hernani* du
rayonnement d'une aurore, et couvrir *Ruy Blas* des ténèbres d'un
crépuscule. Dans *Hernani,* le soleil de la maison d'Autriche se
lève ; dans *Ruy Blas,* il se couche[3].

Paris, 25 novembre 1838.

---

1. *Ruy Gomez :* un des principaux personnages d'*Hernani.*
2. *Héritait :* cet héritage est celui de la puissance d'un grand roi.
3. Selon Charles Quint, le soleil ne se couchait jamais sur son empire.

Préface

THÉORIE ET PRATIQUE DU DRAME

1. En prenant une vue d'ensemble de la préface, vous tenterez d'en dégager le plan. Quelle est la place de la réflexion générale sur le drame et quelle est celle de l'analyse consacrée à *Ruy Blas* ?

2. Quels sont, d'après Hugo, les différents enseignements que l'on peut dégager d'un drame ? Quel « point de vue » privilégie-t-il dans son étude de *Ruy Blas* ? Pourquoi ?

3. En quoi, d'après la préface, *Ruy Blas* peut-il être rapproché et distingué d'*Hernani* ?

4. Quels exemples et quelle métaphore permettent à Hugo d'illustrer l'unité et la diversité des chefs-d'œuvre ?

SPECTACLES ET SPECTATEURS

5. Quels sont les trois types de spectateurs distingués par Hugo ? Quelles sont leurs attentes lorsqu'ils vont au théâtre ? Quelles « espèces d'œuvres » y répondent ?

6. En quoi le drame est-il, d'après Hugo, supérieur au mélodrame (voir p. 258 et 260) ? Pourquoi le préfère-t-il à la comédie et à la tragédie ? Comment Hugo applique-t-il ces distinctions à *Ruy Blas* ?

LES « QUATRE TÊTES » DE *RUY BLAS*

7. En quoi don César et don Salluste sont-ils des types sociaux ? Résumez leurs principaux caractères, d'après la préface. Dans quelle mesure incarnent-ils tous deux la dissolution de la noblesse espagnole du XVIIᵉ siècle ? En quoi sont-ils radicalement différents ?

8. Qu'est-ce qui fait la dualité du destin de Ruy Blas, d'après la préface ? Que représente symboliquement la reine pour lui ?

9. Dans cette préface, Hugo souligne l'absence du roi. À quel autre souverain et à quels événements historiques fait-il allusion en évoquant un roi devenu « une ombre » ?

10. Relevez les termes caractérisant le peuple en indiquant s'ils sont mélioratifs ou péjoratifs.

Personnages

Ruy Blas[1].
Don Salluste.
Don César de Bazan.
Don Guritan.
Le comte de Camporeal.
Le marquis de Santa-Cruz.
Le marquis del Basto.
Le comte d'Albe.
Le marquis de Priego.
Don Manuel Arias.
Montazgo.
Don Antonio Ubilla.
Covadenga.
Gudiel.
Un laquais.
Un alcade[2].
Un huissier.
Un alguazil[3].
Doña Maria de Neubourg, *reine d'Espagne.*
La duchesse d'Albuquerque.
Casilda.

---

1. *Ruy Blas :* Ruy est le diminutif de Rodrigue (le noble prénom du Cid). Blas est, en revanche, un nom roturier (voir *Gil Blas de Santillane,* roman de Lesage, 1715-1735).
2. *Un alcade :* un juge.
3. *Un alguazil :* un agent de police.

Une duègne[1].

Un page.

Dames, seigneurs, conseillers privés, pages, duègnes, alguazils, gardes, huissiers de chambre et de cour.

Madrid. 169.[2]

---

1. *Duègne* : vieille gouvernante chargée de surveiller une princesse.
2. *169.* : l'action commence en fait en mai 1698 (acte I) et s'achève en décembre de la même année (actes III, IV et V).

Le personnage de don Salluste par Th. Thomas
lors de la création en 1879 à la Comédie-Française.
Bibliothèque de la Comédie-Française, Paris.

Acte premier

Don Salluste

Le salon de Danaé[1] dans le palais du roi, à Madrid. Ameublement magnifique dans le goût demi-flamand du temps de Philippe IV[2]. À gauche, une grande fenêtre à châssis dorés et à petits carreaux. Des deux côtés, sur un pan coupé, une porte basse donnant dans quelque appartement intérieur. Au fond, une grande cloison vitrée à châssis dorés s'ouvrant par une large porte également vitrée sur une longue galerie. Cette galerie, qui traverse tout le théâtre, est masquée par d'immenses rideaux qui tombent du haut en bas de la cloison vitrée. Une table, un fauteuil, et ce qu'il faut pour écrire.

    Don Salluste entre par la petite porte de gauche, suivi de Ruy Blas et de Gudiel, qui porte une cassette et divers paquets qu'on dirait disposés pour un voyage. Don Salluste est vêtu de velours noir, costume de cour du temps de Charles II[3]. La Toison d'or[4] au cou. Par-dessus l'habillement noir, un riche manteau de velours vert clair, brodé d'or et doublé de satin noir. Épée à grande coquille. Chapeau à plumes blanches. Gudiel est en noir, épée au côté. Ruy Blas est en livrée. Haut-de-chausses[5] et justaucorps[6] bruns. Surtout[7] galonné, rouge et or. Tête nue. Sans épée.

---

1. *Danaé* : personnage de la mythologie grecque peint par l'Italien Titien (1488 ?-1576). Le tableau se trouve au Prado, musée de Madrid.
2. *Philippe IV* : père de Charles II ; il régna de 1621 à 1665.
3. *Charles II* : il régna de 1665 à 1700.
4. *La Toison d'or* : ordre de chevalerie institué en 1429 par le duc de Bourgogne Philippe le Bon et symbolisé par un collier portant un bélier en or.
5. *Haut-de-chausses* : culotte.
6. *Justaucorps* : veste serrée à la taille.
7. *Surtout* : sorte de veste portée par-dessus le justaucorps.

SCÈNE 1. DON SALLUSTE DE BAZAN, GUDIEL, *par instants* RUY BLAS.

DON SALLUSTE

Ruy Blas, fermez la porte, — ouvrez cette fenêtre.
Ruy Blas obéit, puis, sur un signe de don Salluste, il sort par la porte du fond ; don Salluste va à la fenêtre.
Ils dorment encor tous ici, — le jour va naître.
Il se tourne brusquement vers Gudiel.
Ah ! c'est un coup de foudre !... — oui, mon règne est passé,
Gudiel ! — renvoyé, disgracié, chassé ! —
5   Ah ! tout perdre en un jour ! — L'aventure est secrète
Encor, n'en parle pas. — Oui, pour une amourette,
— Chose, à mon âge, sotte et folle, j'en convien[1] —
Avec une suivante, une fille de rien !
Séduite, beau malheur ! parce que la donzelle[2]
10 Est à la reine, et vient de Neubourg[3] avec elle,
Que cette créature a pleuré contre moi
Et traîné son enfant dans les chambres du roi ;
Ordre de l'épouser. Je refuse. On m'exile !
On m'exile ! Et vingt ans d'un labeur difficile,
15 Vingt ans d'ambition, de travaux nuit et jour ;
Le président haï des alcades de cour[4],
Dont nul ne prononçait le nom sans épouvante ;
Le chef de la maison de Bazan, qui s'en vante ;
Mon crédit, mon pouvoir, tout ce que je rêvais,
20 Tout ce que je faisais et tout ce que j'avais,
Charge, emplois, honneurs, tout en un instant s'écroule
Au milieu des éclats de rire de la foule !

---

1. *Convien* : licence orthographique admise à la rime.
2. *Donzelle* : demoiselle (péjoratif).
3. *Neubourg* : ville de Bavière, capitale d'une principauté au xvie siècle.
4. *Alcades de cour* : juges d'une cour royale de justice, particulièrement sévères.

GUDIEL

Nul ne le sait encor, monseigneur.

DON SALLUSTE

Mais demain !

Demain, on le saura ! — Nous serons en chemin !
25 Je ne veux pas tomber, non, je veux disparaître !
Il déboutonne violemment son pourpoint.
— Tu m'agrafes toujours comme on agrafe un prêtre,
Tu serres mon pourpoint, et j'étouffe, mon cher !
Il s'assied.
Oh ! mais je vais construire, et sans en avoir l'air,
Une sape[1] profonde, obscure et souterraine !
30 — Chassé ! —
Il se lève.

GUDIEL

D'où vient le coup, monseigneur ?

DON SALLUSTE

De la reine.

Oh ! je me vengerai, Gudiel ! Tu m'entends !
Toi dont je suis l'élève, et qui depuis vingt ans
M'as aidé, m'as servi dans les choses passées,
Tu sais bien jusqu'où vont dans l'ombre mes pensées.
35 Comme un bon architecte au coup d'œil exercé
Connaît la profondeur du puits qu'il a creusé.
Je pars. Je vais aller à Finlas[2], en Castille,
Dans mes États, — et là, songer ! — Pour une fille !
— Toi, règle le départ, car nous sommes pressés.
40 Moi, je vais dire un mot au drôle que tu sais.
À tout hasard. Peut-il me servir ? Je l'ignore.
Ici jusqu'à ce soir je suis le maître encore.
Je me vengerai, va ! Comment ? je ne sais pas ;
Mais je veux que ce soit effrayant ! — De ce pas

---

1. *Sape* : fosse creusée sous un bâtiment pour le faire s'écrouler.
2. *Finlas* : nom aux sonorités espagnoles inventé par Hugo.

45 Va faire nos apprêts, et hâte-toi. — Silence !
Tu pars avec moi. Va.
Gudiel salue et sort.

DON SALLUSTE, *appelant.*
— Ruy Blas !

RUY BLAS, *se présentant à la porte du fond.*
Votre excellence ?

DON SALLUSTE
Comme je ne dois plus coucher dans le palais,
Il faut laisser les clefs et clore les volets.

RUY BLAS, *s'inclinant.*
Monseigneur, il suffit.

DON SALLUSTE
Écoutez, je vous prie.
50 La reine va passer, là, dans la galerie,
En allant de la messe à la chambre d'honneur,
Dans deux heures. Ruy Blas, soyez là.

RUY BLAS
Monseigneur,
J'y serai.

DON SALLUSTE, *à la fenêtre.*
Voyez-vous cet homme dans la place
Qui montre aux gens de garde un papier, et qui passe ?
55 Faites-lui, sans parler, signe qu'il peut monter.
Par l'escalier étroit.
Ruy Blas obéit. Don Salluste continue en lui montrant la petite porte à droite.
— Avant de nous quitter,
Dans cette chambre où sont les hommes de police,
Voyez donc si les trois alguazils[1] de service
Sont éveillés.

---

1. *Alguazils* : policiers.

RUY BLAS

Il va à la porte, l'entrouvre et revient.
          Seigneur, ils dorment.

DON SALLUSTE

                    Parlez bas.
60 J'aurai besoin de vous, ne vous éloignez pas.
Faites le guet afin que les fâcheux nous laissent.
Entre don César de Bazan. Chapeau défoncé. Grande cape déguenillée
qui ne laisse voir de sa toilette que des bas mal tirés et des souliers
crevés. Épée de spadassin[1].
Au moment où il entre, lui et Ruy Blas se regardent et font en même
temps, chacun de leur côté, un geste de suprise.

          DON SALLUSTE, *les observant, à part.*
Ils se sont regardés ! Est-ce qu'ils se connaissent ?
Ruy Blas sort.

---

1. *Spadassin :* homme d'épée et parfois tueur à gages.

Acte premier Scène 1

LE DÉCOR DE L'HISTOIRE

Décor, objets et costumes appartiennent en propre au langage du théâtre. Hugo les utilise avec profusion dans le cadre d'une esthétique proche du baroque (voir p. 257), mais, au-delà du pittoresque, chacun de ces éléments a une valeur symbolique et doit être considéré comme une information.

1. Quelles informations historiques sur l'Espagne « du temps de Charles II » nous sont communiquées par les didascalies (voir p. 258) qui ouvrent le premier acte ?

2. Quelle atmosphère est créée par un tel décor ? Quelle valeur symbolique peut-on accorder en particulier aux éléments suivants : le châssis doré des fenêtres, la « petite porte basse donnant dans quelque appartement intérieur », les « immenses rideaux » ?

3. Étudiez la signification des costumes et de leurs couleurs ? Comment Ruy Blas est-il distingué des deux autres personnages ?

MAÎTRE ET SERVITEUR

4. Comment don Salluste affirme-t-il son autorité au cours de la première scène ? Notez en particulier le mode des verbes utilisé lorsqu'il s'adresse à Ruy Blas.

5. Pour quelle raison don Salluste fait-il sortir Ruy Blas pendant une partie de la scène ? Quelle est l'attitude de ce dernier ? Quelle différence peut-on observer entre lui et Gudiel ? La présence du laquais Ruy Blas est-elle seulement « décorative » ?

UN PROJET DE VENGEANCE

6. Dans cette scène d'exposition, qu'apprend-on d'essentiel sur l'action qui se noue ? Qu'est-ce qui reste, en revanche, mystérieux dans les projets de don Salluste ? Quelles métaphores suggèrent ce mystère ? Par quels autres éléments (discours prononcés, indications scéniques) les thèmes du secret et du complot s'imposent-ils ? Quel est le rôle des portes et des fenêtres ?

7. La colère de don Salluste, grand seigneur disgracié, éclate dans cette scène : quelles sont les marques stylistiques de cet emportement ? (Examinez en particulier les vers 3 à 22.)

SCÈNE 2.   DON SALLUSTE, DON CÉSAR.

DON SALLUSTE

Ah ! vous voilà, bandit !

DON CÉSAR

Oui, cousin, me voilà.

DON SALLUSTE

C'est grand plaisir de voir un gueux[1] comme cela !

DON CÉSAR, *saluant.*

65   Je suis charmé...

DON SALLUSTE

Monsieur, on sait de vos histoires.

DON CÉSAR, *gracieusement.*

Qui sont de votre goût ?

DON SALLUSTE

Oui, des plus méritoires.

Don Charles de Mira l'autre nuit fut volé.
On lui prit son épée à fourreau ciselé
Et son buffle[2]. C'était la surveille[3] de Pâques.
70   Seulement, comme il est chevalier de Saint-Jacques[4],
La bande lui laissa son manteau.

DON CÉSAR

Doux Jésus !

Pourquoi ?

---

1. *Gueux :* misérable (péjoratif). Les personnages de « gueux » sont légion dans l'œuvre de Hugo, qui les réhabilite.
2. *Buffle :* justaucorps en peau de buffle qui servait de cuirasse.
3. *Surveille :* avant-veille.
4. *Chevalier de Saint-Jacques :* ordre de chevalerie fondé au XIIe siècle sous l'égide de Saint-Jacques de Compostelle. Ses chevaliers portaient un manteau blanc orné d'une croix rouge.

Don Salluste

Parce que l'ordre était brodé dessus.
Eh bien ! que dites-vous de l'algarade[1] ?

Don César

Ah ! Diable !
Je dis que nous vivons dans un siècle effroyable !
75 Qu'allons-nous devenir, bon Dieu ! si les voleurs
Vont courtiser saint Jacque[2] et le mettre des leurs ?

Don Salluste

Vous en étiez !

Don César

Hé bien — oui ! s'il faut que je parle,
J'étais là. Je n'ai pas touché votre don Charle,
J'ai donné seulement des conseils.

Don Salluste

Mieux encor.
80 La lune étant couchée, hier, Plaza Mayor[3],
Toutes sortes de gens, sans coiffe et sans semelle,
Qui hors d'un bouge[4] affreux se ruaient pêle-mêle,
Ont attaqué le guet[5]. — Vous en étiez !

Don César

Cousin.
J'ai toujours dédaigné de battre un argousin[6].
85 J'étais là. Rien de plus. Pendant les estocades[7],
Je marchais en faisant des vers sous les arcades.
On s'est fort assommé.

---

1. *Algarade* : attaque soudaine.
2. *Saint Jacque* : licence orthographique admise pour l'alexandrin.
3. *Plaza Mayor* : la grande place de Madrid.
4. *Bouge* : cabaret mal fréquenté.
5. *Guet* : patrouille de police.
6. *Argousin* : déformation pour *alguazil*, le terme est péjoratif pour désigner un policier.
7. *Estocade* : attaque à la pointe de l'épée.

Don Salluste (P.E. Deiber) et don César (J. Piat)
dans une mise en scène de R. Rouleau
à la Comédie-Française, 1968.

DON SALLUSTE
Ce n'est pas tout.

DON CÉSAR
Voyons.

DON SALLUSTE
En France, on vous accuse, entr' autres actions,
Avec vos compagnons à toute loi rebelles,
90 D'avoir ouvert sans clef la caisse des gabelles[1].

DON CÉSAR
Je ne dis pas. — La France est pays ennemi.

DON SALLUSTE
En Flandre, rencontrant dom Paul Barthélemy,
Lequel portait à Mons[2] le produit d'un vignoble
Qu'il venait de toucher pour le chapitre noble[3],
95 Vous avez mis la main sur l'argent du clergé.

DON CÉSAR
En Flandre ? — il se peut bien. J'ai beaucoup voyagé.
— Est-ce tout ?

DON SALLUSTE
Don César, la sueur de la honte,
Lorsque je pense à vous, à la face me monte.

DON CÉSAR
Bon. Laissez-la monter.

DON SALLUSTE
Notre famille...

DON CÉSAR
Non.

---

1. *Gabelles :* impôt sur le sel.
2. *Mons :* ville des Pays-Bas espagnols.
3. *Chapitre noble :* assemblée de chanoines réservée aux membres des familles nobles.

100 Car vous seul à Madrid connaissez mon vrai nom.
Ainsi ne parlons pas famille !

DON SALLUSTE
Une marquise
Me disait l'autre jour en sortant de l'église :
— Quel est donc ce brigand, qui, là-bas, nez au vent,
Se carre, l'œil au guet et la hanche en avant,
105 Plus délabré que Job[1] et plus fier que Bragance[2],
Drapant sa gueuserie avec son arrogance,
Et qui, froissant du poing sous sa manche en haillons,
L'épée à lourd pommeau qui lui bat les talons,
Promène, d'une mine altière et magistrale,
110 Sa cape en dents de scie et ses bas en spirale ?

DON CÉSAR, *jetant un coup d'œil sur sa toilette.*
Vous avez répondu : C'est ce cher Zafari[3] !

DON SALLUSTE
Non ; j'ai rougi, monsieur !

DON CÉSAR
Eh bien ! la dame a ri.
Voilà. J'aime beaucoup faire rire les femmes.

DON SALLUSTE
Vous n'allez fréquentant que spadassins infâmes !

DON CÉSAR
115 Des clercs[4] ! des écoliers doux comme des moutons !

DON SALLUSTE
Partout on vous rencontre avec des Jeannetons[5] !

---

1. *Job* : personnage biblique dépouillé de ses biens par Dieu, qui voulait l'éprouver.
2. *Bragance* : famille royale du Portugal.
3. *Zafari* : c'est le nom d'emprunt de don César.
4. *Clercs* : étudiants en théologie.
5. *Jeannetons* : diminutif péjoratif de Jeanne. Ici, filles des rues.

DON CÉSAR

Ô Lucindes d'amour ! ô douces Isabelles[1] !
Hé bien ! sur votre compte on en entend de belles !
Quoi ! l'on vous traite ainsi, beautés à l'œil mutin,
120 À qui je dis le soir mes sonnets du matin !

DON SALLUSTE

Enfin, Matalobos[2], ce voleur de Galice
Qui désole Madrid malgré notre police,
Il est de vos amis !

DON CÉSAR

Raisonnons, s'il vous plaît.
Sans lui j'irais tout nu, ce qui serait fort laid.
125 Me voyant sans habit, dans la rue, en décembre,
La chose le toucha. — Ce fat[3] parfumé d'ambre,
Le comte d'Albe, à qui l'autre mois fut volé
Son beau pourpoint de soie...

DON SALLUSTE

Eh bien ?

DON CÉSAR

C'est moi qui l'ai.
Matalobos me l'a donné.

DON SALLUSTE

L'habit du comte !
130 Vous n'êtes pas honteux ?...

DON CÉSAR

Je n'aurai jamais honte
De mettre un bon pourpoint, brodé, passementé[4],
Qui me tient chaud l'hiver et me fait beau l'été.

---

1. *Lucindes...Isabelles* : noms de personnages de jeunes filles dans les comédies du XVIIe siècle.
2. *Matalobos* : littéralement, « tueur de loups ». Nom inventé par Hugo.
3. *Fat* : personnage vaniteux.
4. *Passementé* : orné de rubans brodés.

— Voyez, il est tout neuf. —

Il entrouvre son manteau qui laisse voir un superbe pourpoint de satin rose brodé d'or.

Les poches en sont pleines
De billets doux au comte adressés par centaines.
135 Souvent, pauvre, amoureux, n'ayant rien sous la dent,
J'avise une cuisine au soupirail ardent
D'où la vapeur des mets aux narines me monte ;
Je m'assieds là, j'y lis les billets doux du comte,
Et, trompant l'estomac et le cœur tour à tour,
140 J'ai l'odeur du festin et l'ombre de l'amour !

DON SALLUSTE

Don César...

DON CÉSAR

Mon cousin, tenez, trêve aux reproches.
Je suis un grand seigneur, c'est vrai, l'un de vos proches ;
Je m'appelle César, comte de Garofa[1] ;
Mais le sort de folie en naissant me coiffa.
145 J'étais riche, j'avais des palais, des domaines,
Je pouvais largement renter les Célimènes[2],
Bah ! mes vingt ans n'étaient pas encor révolus
Que j'avais mangé tout ! il ne me restait plus
De mes prospérités, ou réelles, ou fausses,
150 Qu'un tas de créanciers hurlant après mes chausses.
Ma foi, j'ai pris la fuite et j'ai changé de nom.
À présent, je ne suis qu'un joyeux compagnon,
Zafari, que hors vous nul ne peut reconnaître.
Vous ne me donnez pas du tout d'argent, mon maître ;
155 Je m'en passe. Le soir, le front sur un pavé,
Devant l'ancien palais des comtes de Teve[3],
— C'est là, depuis neuf ans, que la nuit je m'arrête, —
Je vais dormir avec le ciel bleu sur ma tête.

---

1. *Garofa :* nom inventé par Hugo.
2. *Célimène :* la coquette, héroïne du *Misanthrope* de Molière.
3. *Teve :* à prononcer à l'espagnole, « tévé ».

Je suis heureux ainsi. Pardieu, c'est un beau sort !
160 Tout le monde me croit dans l'Inde[1], au diable, — mort.
La fontaine voisine a de l'eau, j'y vais boire,
Et puis je me promène avec un air de gloire.
Mon palais, d'où jadis mon argent s'envola,
Appartient à cette heure au nonce[2] Espinola,
165 C'est bien. Quand par hasard jusque-là je m'enfonce,
Je donne des avis aux ouvriers du nonce
Occupés à sculpter sur la porte un Bacchus[3]. —
Maintenant, pouvez-vous me prêter dix écus[4] ?

DON SALLUSTE

Écoutez-moi...

DON CÉSAR, *croisant les bras.*
Voyons à présent votre style.

DON SALLUSTE

170 Je vous ai fait venir, c'est pour vous être utile
César, sans enfants, riche, et de plus votre aîné,
Je vous vois à regret vers l'abîme entraîné,
Je veux vous en tirer. Bravache[5] que vous êtes,
Vous êtes malheureux. Je veux payer vos dettes,
175 Vous rendre vos palais, vous remettre à la cour,
Et refaire de vous un beau seigneur d'amour.
Que Zafari s'éteigne et que César renaisse.
Je veux qu'à votre gré vous puisiez dans ma caisse,
Sans crainte, à pleines mains, sans soin de l'avenir.
180 Quand on a des parents il faut les soutenir,
César, et pour les siens se montrer pitoyable...
*Pendant que don Salluste parle, le visage de don César prend une
expression de plus en plus étonnée, joyeuse et confiante ; enfin, il éclate.*

1. *Dans l'Inde* : c'est-à-dire en Amérique (l'« Inde occidentale »).
2. *Nonce* : ambassadeur du pape.
3. *Bacchus* : dieu romain du Vin, associé ironiquement ici à la demeure d'un homme d'Église.
4. *Dix écus* : pièces d'argent. La somme est modeste.
5. *Bravache* : qui fait le brave.

DON CÉSAR

Vous avez toujours eu de l'esprit comme un diable,
Et c'est fort éloquent ce que vous dites là.
— Continuez !

DON SALLUSTE

César, je ne mets à cela
185 Qu'une condition. — Dans l'instant je m'explique.
Prenez d'abord ma bourse.

DON CÉSAR, *soupesant la bourse qui est pleine d'or.*
Ah ça ! c'est magnifique !

DON SALLUSTE

Et je vais vous donner cinq cents ducas[1]...

DON CÉSAR, *ébloui.*
Marquis !

DON SALLUSTE, *continuant.*

Dès aujourd'hui !

DON CÉSAR

Pardieu, je vous suis tout acquis.
Quant aux conditions, ordonnez. Foi de brave !
190 Mon épée est à vous. Je deviens votre esclave,
Et, si cela vous plaît, j'irai croiser le fer
Avec don Spavento, capitan[2] de l'enfer.

DON SALLUSTE

Non, je n'accepte pas, don César, et pour cause,
Votre épée.

DON CÉSAR

Alors quoi ? je n'ai guère autre chose.

---

1. *Cinq cents ducats :* cinq cents pièces d'or. La somme est énorme.
2. *Don Spavento, capitan :* personnage de la comédie italienne (littéralement,
« qui épouvante ») où il est le « capitan », soldat fanfaron.

51

Don Salluste, *se rapprochant de lui et baissant la voix.*
195 Vous connaissez — et c'est en ce cas un bonheur, —
Tous les gueux de Madrid ?

Don César
Vous me faites honneur.

Don Salluste
Vous en traînez toujours après vous une meute ;
Vous pourriez, au besoin, soulever une émeute,
Je le sais. Tout cela peut-être servira.

Don César, *éclatant de rire.*
200 D'honneur ! vous avez l'air de faire un opéra.
Quelle part donnez-vous dans l'œuvre à mon génie ?
Sera-ce le poème ou bien la symphonie ?
Commandez. Je suis fort pour le charivari[1].

Don Salluste, *gravement.*
Je parle à don César et non à Zafari.
Baissant la voix de plus en plus.
205 Ecoute. J'ai besoin, pour un résultat sombre,
De quelqu'un qui travaille à mon côté dans l'ombre
Et qui m'aide à bâtir un grand événement.
Je ne suis pas méchant, mais il est tel moment
Où le plus délicat, quittant toute vergogne[2],
210 Doit retrousser sa manche et faire la besogne.
Tu seras riche, mais il faut m'aider sans bruit
À dresser, comme font les oiseleurs la nuit,
Un bon filet caché sous un miroir qui brille,
215 Il faut, par quelque plan terrible et merveilleux,
— Tu n'es pas, que je pense, un homme scrupuleux, —
Me venger !

Don César
Vous venger ?

---

1. *Charivari* : sorte de chahut accompagné de cris. (C'est aussi le nom d'un journal satirique créé en 1832.)
2. *Vergogne :* honte.

DON SALLUSTE
Oui.

DON CÉSAR
De qui ?

DON SALLUSTE
D'une femme.

DON CÉSAR
Il se redresse et regarde fièrement don Salluste.
Ne m'en dites pas plus. Halte-là ! — sur mon âme,
Mon cousin, en ceci voilà mon sentiment :
220 Celui qui, bassement et tortueusement,
Se venge, ayant le droit de porter une lame,
Noble, par une intrigue, homme, sur une femme,
Et qui, né gentilhomme, agit en alguazil,
Celui-là, — fût-il grand de Castille, fût-il
225 Suivi de cent clairons sonnant des tintamarres,
Fût-il tout harnaché d'ordres et de chamarres[1],
Et marquis, et vicomte, et fils des anciens preux[2], —
N'est pour moi qu'un maraud[3] sinistre et ténébreux
Que je voudrais, pour prix de sa lâcheté vile,
230 Voir pendre à quatre clous au gibet de la ville !

DON SALLUSTE
César !...

DON CÉSAR
N'ajoutez pas un mot, c'est outrageant.
Il jette la bourse aux pieds de don Salluste.
Gardez votre secret, et gardez votre argent.
Oh ! je comprends qu'on vole, et qu'on tue, et qu'on pille ;
Que par une nuit noire on force une bastille[4],

---

1. *Harnaché d'ordres et de chamarres* : couvert de décorations.
2. *Preux* : chevaliers du Moyen Âge (on parle des « preux » de Charlemagne).
3. *Maraud* : coquin.
4. *Bastille* : prison.

235 D'assaut, la hache au poing, avec cent flibustiers[1] ;
    Qu'on égorge estafiers[2], geôliers et guichetiers,
    Tous, taillant et hurlant, en bandits que nous sommes,
    Œil pour œil, dent pour dent, c'est bien ! hommes contre
                                                    [hommes !
    Mais doucement détruire une femme ! et creuser
240 Sous ses pieds une trappe ! et contre elle abuser,
    Qui sait ? de son humeur peut-être hasardeuse[3] !
    Prendre ce pauvre oiseau dans quelque glu hideuse !
    Oh ! plutôt qu'arriver jusqu'à ce déshonneur,
    Plutôt qu'être, à ce prix, un riche et haut seigneur,
245 — Et je le dis ici pour Dieu qui voit mon âme, —
    J'aimerais mieux, plutôt qu'être à ce point infâme,
    Vil, odieux, pervers, misérable et flétri,
    Qu'un chien rongeât mon crâne au pied du pilori !

DON SALLUSTE

Cousin !...

DON CÉSAR

        De vos bienfaits je n'aurai nulle envie,
250 Tant que je trouverai, vivant ma libre vie,
    Aux fontaines de l'eau, dans les champs le grand air,
    À la ville un voleur qui m'habille l'hiver,
    Dans mon âme l'oubli des prospérités mortes,
    Et devant vos palais, monsieur, de larges portes
255 Où je puis, à midi, sans souci du réveil,
    Dormir, la tête à l'ombre et les pieds au soleil !
    — Adieu donc. — De nous deux Dieu sait quel est le juste.
    Avec les gens de cour, vos pareils, don Salluste,
    Je vous laisse, et je reste avec mes chenapans.
260 Je vis avec les loups, non avec les serpents.

DON SALLUSTE

Un instant...

---

1. *Flibustiers :* pirates.
2. *Estafiers :* hommes d'armes.
3. *Hasardeuse :* imprudente.

DON CÉSAR
Tenez, maître, abrégeons la visite.
Si c'est pour m'envoyer en prison, faites vite.

DON SALLUSTE
Allons, je vous croyais, César, plus endurci.
L'épreuve vous est bonne et vous a réussi ;
265 Je suis content de vous. Votre main, je vous prie.

DON CÉSAR
Comment !

DON SALLUSTE
Je n'ai parlé que par plaisanterie.
Tout ce que j'ai dit là, c'est pour vous éprouver.
Rien de plus.

DON CÉSAR
Ça, debout vous me faites rêver.
La femme, le complot, cette vengeance...

DON SALLUSTE
Leurre !
270 Imagination ! chimère !

DON CÉSAR
À la bonne heure.
Et l'offre de payer mes dettes ! vision ?
Et les cinq cents ducats ! imagination ?

DON SALLUSTE
Je vais vous les chercher.
Il se dirige vers la porte du fond, et fait signe à Ruy Blas de rentrer.

DON CÉSAR, *à part sur le devant du théâtre et regardant*
don Salluste de travers.
Hum ! visage de traître !
Quand la bouche dit oui, le regard dit peut-être.

DON SALLUSTE, *à Ruy Blas*
275 Ruy Blas, restez ici.
À don César.
Je reviens.
Il sort par la petite porte de gauche. Sitôt qu'il est sorti, don César et Ruy Blas vont vivement l'un à l'autre.

55

Acte premier Scène 2

LE LOUP ET LE SERPENT

Dans cette scène s'opposent deux caractères, deux conceptions de la vie, deux styles. D'un côté, l'inquiétant don Salluste, grand seigneur et chef de la justice (v. 16) ; de l'autre, don César, sorte de brigand au parcours picaresque.

1. Comparez le costume de César (didascalies à la fin de la scène première et v. 103-110) et celui de Salluste (I,1).

2. Quelles sont les différentes facettes du personnage et de la vie de César qui apparaissent dans cette scène ? Montrez qu'il conserve une certaine grandeur dans son dénuement. Par quels détails et dans quelles répliques est soulignée son insouciance ? Quel style adopte au contraire Salluste, du vers 67 au vers 116 ?

3. Don Salluste affirme avoir honte de son cousin. En examinant en particulier la fin de la scène, montrez que les deux personnages ont des conceptions radicalement opposées de l'honneur et de l'argent. Commentez la métaphore du vers 260.

UN DUEL VERBAL

4. L'ironie est une figure privilégiée du discours de César. C'est une manière pour lui de résister à son diabolique cousin et d'affirmer sa fantaisie. Relevez quelques marques de l'ironie dans cette scène.

5. Distinguez les quatre moments principaux du duel verbal entre les deux cousins. Dans quelle mesure peut-on dire que chacun joue la comédie ? Trouvez dans le discours de don César une métaphore qui l'illustre.

DON CÉSAR OU LA LIBERTÉ DU POÈTE

6. Don César affirme son indépendance contre les tentatives de corruption et d'aliénation de Salluste. Comment s'exprime son goût de la liberté ? (Relevez en particulier le vocabulaire de l'errance, de l'aventure, de la poésie dans ses répliques.)

7. Don César, personnage du grotesque (voir p. 259), porte haut un langage imagé. Montrez-le en étudiant ses répliques des vers 218 à 260.

SCÈNE 3.   DON CÉSAR, RUY BLAS.

DON CÉSAR
Sur ma foi,
Je ne me trompais pas. C'est toi, Ruy Blas ?

RUY BLAS
C'est toi,
Zafari ! Que fais-tu dans ce palais ?

DON CÉSAR
J'y passe.
Mais je m'en vais. Je suis oiseau, j'aime l'espace.
Mais toi ! cette livrée ? est-ce un déguisement ?

RUY BLAS, *avec amertume.*
280 Non, je suis déguisé quand je suis autrement.

DON CÉSAR
Que dis-tu ?

RUY BLAS
Donne-moi ta main que je la serre,
Comme en cet heureux temps de joie et de misère
Où je vivais sans gîte, où le jour j'avais faim,
Où j'avais froid la nuit, où j'étais libre enfin !
285 — Quand tu me connaissais, j'étais un homme encore.
Tous deux nés dans le peuple, — hélas ! c'était l'aurore ! —
Nous nous ressemblions au point qu'on nous prenait
Pour frères ; nous chantions dès l'heure où l'aube naît,
Et le soir, devant Dieu, notre père et notre hôte,
290 Sous le ciel étoilé nous dormions côte à côte !
Oui, nous partagions tout. Puis enfin arriva
L'heure triste où chacun de son côté s'en va.
Je te retrouve, après quatre ans, toujours le même,
Joyeux comme un enfant, libre comme un bohème,
295 Toujours ce Zafari, riche en sa pauvreté,
Qui n'a rien eu jamais et n'a rien souhaité !
Mais moi, quel changement ! Frère, que te dirai-je ?
Orphelin, par pitié nourri dans un collège

De science et d'orgueil, de moi, triste faveur !
300 Au lieu d'un ouvrier on a fait un rêveur.
Tu sais, tu m'as connu. Je jetais mes pensées
Et mes vœux vers le ciel en strophes insensées,
J'opposais cent raisons à ton rire moqueur.
J'avais je ne sais quelle ambition au cœur.
305 À quoi bon travailler ? Vers un but invisible
Je marchais, je croyais tout réel, tout possible,
J'espérais tout du sort ! — Et puis je suis de ceux
Qui passent tout un jour, pensifs et paresseux,
Devant quelque palais regorgeant de richesses,
310 À regarder entrer et sortir des duchesses. —
Si bien qu'un jour, mourant de faim sur le pavé,
J'ai ramassé du pain, frère, où j'en ai trouvé :
Dans la fainéantise et dans l'ignominie.
Oh ! quand j'avais vingt ans, crédule à mon génie,
315 Je me perdais, marchant pieds nus dans les chemins,
En méditations sur le sort des humains ;
J'avais bâti des plans sur tout, — une montagne
De projets ; — je plaignais le malheur de l'Espagne ;
Je croyais, pauvre esprit, qu'au monde je manquais... —
320 Ami, le résultat, tu le vois : — un laquais !

DON CÉSAR

Oui, je le sais, la faim est une porte basse :
Et, par nécessité, lorsqu'il faut qu'il y passe,
Le plus grand est celui qui se courbe le plus.
Mais le sort a toujours son flux et son reflux.
325 Espère.

RUY BLAS, *secouant la tête.*
Le marquis de Finlas est mon maître.

DON CÉSAR

Je le connais. — Tu vis dans ce palais peut-être ?

RUY BLAS

Non, avant ce matin et jusqu'à ce moment,
Je n'en avais jamais passé le seuil.

DON CÉSAR
Vraiment ?
Ton maître cependant pour sa charge y demeure ?

RUY BLAS

330 Oui, car la cour le fait demander à toute heure.
Mais il a quelque part un logis inconnu,
Où jamais en plein jour peut-être il n'est venu.
À cent pas du palais. Une maison discrète.
Frère, j'habite là. Par la porte secrète
335 Dont il a seul la clef, quelquefois, à la nuit,
Le marquis vient, suivi d'hommes qu'il introduit.
Ces hommes sont masqués et parlent à voix basse.
Ils s'enferment, et nul ne sait ce qui se passe.
Là, de deux Noirs muets je suis le compagnon.
340 Je suis pour eux le maître. Ils ignorent mon nom.

DON CÉSAR

Oui, c'est là qu'il reçoit, comme chef des alcades,
Ses espions ; c'est là qu'il tend ses embuscades.
C'est un homme profond qui tient tout dans sa main.

RUY BLAS

Hier, il m'a dit : — Il faut être au palais demain.
345 Avant l'aurore. Entrez par la grille dorée. —
En arrivant il m'a fait mettre la livrée,
Car l'habit odieux sous lequel tu me vois,
Je le porte aujourd'hui pour la première fois.

DON CÉSAR, *lui serrant la main.*

Espère !

RUY BLAS

Espérer ! Mais tu ne sais rien encore.
350 Vivre sous cet habit qui souille et déshonore,
Avoir perdu la joie et l'orgueil, ce n'est rien.
Être esclave, être vil ; qu'importe ? — Écoute bien :
Frère ! je ne sens pas cette livrée infâme,
Car j'ai dans ma poitrine une hydre[1] aux dents de flamme
355 Qui me serre le cœur dans ses replis ardents.
Le dehors te fait peur ? Si tu voyais dedans !

___

1. *Hydre :* animal fabuleux.

59

DON CÉSAR

Que veux-tu dire ?

RUY BLAS

Invente, imagine, suppose.
Fouille dans ton esprit. Cherches-y quelque chose
D'étrange, d'insensé, d'horrible et d'inouï.
360 Une fatalité dont on soit ébloui !
Oui, compose un poison affreux, creuse un abîme
Plus sourd que la folie et plus noir que le crime,
Tu n'approcheras pas encor de mon secret.
— Tu ne devines pas ? — Hé ! qui devinerait ? —
365 Zafari ! dans le gouffre où mon destin m'entraîne,
Plonge les yeux ! — je suis amoureux de la reine !

DON CÉSAR

Ciel !

RUY BLAS

Sous un dais orné du globe impérial[1],
Il est, dans Aranjuez[2] ou dans l'Escurial[3],
— Dans ce palais, parfois, — mon frère, il est un homme
370 Qu'à peine on voit d'en bas, qu'avec terreur on nomme ;
Pour qui, comme pour Dieu, nous sommes égaux tous ;
Qu'on regarde en tremblant et qu'on sert à genoux ;
Devant qui se couvrir est un honneur insigne[4] ;
Qui peut faire tomber nos deux têtes d'un signe ;
375 Dont chaque fantaisie est un événement ;
Qui vit, seul et superbe, enfermé gravement
Dans une majesté redoutable et profonde,
Et dont on sent le poids dans la moitié du monde.
Eh bien ! — moi, le laquais, — tu m'entends, — eh bien ! oui,
380 Cet homme-là ! le roi ! je suis jaloux de lui !

---

1. *Globe impérial :* emblème de l'empire de Charles Quint.
2. *Aranjuez :* palais d'été des rois d'Espagne.
3. *L'Escurial :* palais royal près de Madrid.
4. Seuls les grands d'Espagne peuvent rester couverts devant le roi (voir v. 582).

DON CÉSAR

Jaloux du roi !

RUY BLAS

Hé, oui ! jaloux du roi ! sans doute,
Puisque j'aime sa femme !

DON CÉSAR

Oh ! malheureux !

RUY BLAS

Écoute.
Je l'attends tous les jours au passage. Je suis
Comme un fou. Ho ! sa vie est un tissu d'ennuis,
385   À cette pauvre femme ! — Oui, chaque nuit j'y songe ! —
Vivre dans cette cour de haine et de mensonge,
Mariée à ce roi qui passe tout son temps
À chasser ! Imbécile ! — un sot ! vieux à trente ans !
Moins qu'un homme ! à régner comme à vivre inhabile.
390   — Famille qui s'en va ! — Le père[1] était débile
Au point qu'il ne pouvait tenir un parchemin.
    — Oh ! si belle et si jeune, avoir donné sa main
À ce roi Charles deux ! Elle ! Quelle misère !
    — Elle va tous les soirs chez les sœurs du Rosaire,
395   Tu sais ? en remontant la rue Ortaleza[2].
Comment cette démence en mon cœur s'amassa,
Je l'ignore. mais juge ! elle aime une fleur bleue
    — D'Allemagne... — Je fais chaque jour une lieue
Jusqu'à Caramanchel[3], pour avoir de ces fleurs.
400   J'en ai cherché partout sans en trouver ailleurs.
J'en compose un bouquet ; je prends les plus jolies...
    — Oh ! mais je te dis là des choses, des folies ! —
Puis à minuit, au parc royal, comme un voleur,
Je me glisse et je vais déposer cette fleur

---

1. *Le père* : Philippe IV, le père de Charles II.
2. *La rue Ortaleza* : Hugo l'empruntait pour se rendre à son collège madrilène.
3. *Caramanchel* : ou Carabanchel, ville aux portes de Madrid.

405 Sur son banc favori. Même, hier, j'osai mettre
Dans le bouquet, — vraiment, plains-moi, frère ! — une lettre !
La nuit, pour parvenir jusqu'à ce banc, il faut
Franchir les murs du parc, et je rencontre en haut
Ces broussailles de fer qu'on met sur les murailles.
410 Un jour j'y laisserai ma chair et mes entrailles.
Trouve-t-elle mes fleurs, ma lettre ? je ne sai[1].
Frère, tu le vois bien, je suis un insensé.

DON CÉSAR

Diable ! ton algarade a son danger. Prends garde.
Le comte d'Oñate[2], qui l'aime aussi, la garde
415 Et comme un majordome et comme un amoureux.
Quelque reître[3], une nuit, gardien peu langoureux,
Pourrait bien, frère, avant que ton bouquet se fane,
Te le clouer au cœur d'un coup de pertuisane[4]. —
Mais quelle idée ! aimer la reine ! ah ça, pourquoi ?
420 Comment diable as-tu fait ?

RUY BLAS, *avec emportement.*

                        Est-ce que je sais, moi !
— Oh ! mon âme au démon ! je la vendrais pour être
Un des jeunes seigneurs que, de cette fenêtre,
Je vois en ce moment, comme un vivant affront,
Entrer, la plume au feutre et l'orgueil sur le front !
425 Oui, je me damnerais pour dépouiller ma chaîne,
Et pour pouvoir comme eux m'approcher de la reine
Avec un vêtement qui ne soit pas honteux !
Mais, ô rage ! être ainsi, près d'elle ! devant eux !
En livrée ! un laquais ! être un laquais pour elle.
430 Ayez pitié de moi, mon Dieu !
Se rapprochant de don César.

                              Je me rappelle.

---

1. *Sai* : encore une licence orthographique à la rime.
2. *Le comte d'Oñate* : don Guritan (voir acte II et prononcer « ognaté »).
3. *Reître* : au sens premier, mercenaire allemand ; par extension soldat brutal.
4. *Pertuisane* : hallebarde portée par les gardes du roi.

Ne demandais-tu pas pourquoi je l'aime ainsi,
Et depuis quand ?... — Un jour... — Mais à quoi bon ceci ?
C'est vrai, je t'ai toujours connu cette manie !
Par mille questions vous mettre à l'agonie !
435 Demander où ? comment ? quand ? pourquoi ? Mon sang bout !
Je l'aime follement ! Je l'aime, voilà tout !

DON CÉSAR

Là ; ne te fâche pas.

RUY BLAS, *tombant épuisé et pâle sur le fauteuil.*
Non. Je souffre. — Pardonne.
Ou plutôt, va, fuis-moi. Va-t'en, frère. Abandonne
Ce misérable fou qui porte avec effroi
440 Sous l'habit d'un valet les passions d'un roi !

DON CÉSAR, *lui posant la main sur l'épaule.*
Te fuir ! — moi qui n'ai pas souffert, n'aimant personne,
Moi, pauvre grelot vide où manque ce qui sonne,
Gueux, qui vais mendiant l'amour je ne sais où,
À qui de temps en temps le destin jette un sou,
445 Moi, cœur éteint dont l'âme, hélas ! s'est retirée,
Du spectacle d'hier affiche déchirée,
Vois-tu, pour cet amour dont tes regards sont pleins,
Mon frère, je t'envie autant que je te plains !
— Ruy Blas ! —
*Moment de silence. Ils se tiennent les mains serrées en se regardant tous
les deux avec une expression de tristesse et d'amitié confiante.
Entre don Salluste. Il s'avance à pas lents, fixant un regard d'attention
profonde sur don César et Ruy Blas, qui ne le voient pas. Il tient d'une
main un chapeau et une épée qu'il dépose en entrant sur un fauteuil et
de l'autre une bourse qu'il apporte sur la table.*

DON SALLUSTE, *à don César.*
Voici l'argent.
*À la voix de don Salluste, Ruy Blas se lève comme réveillé en sursaut, et
se tient debout, les yeux baissés, dans l'attitude du respect.*

DON CÉSAR, *à part, regardant don Salluste de travers.*
Hum ! le diable m'emporte !
450 Cette sombre figure écoutait à la porte.

Bah ! qu'importe, après tout !
Haut à don Salluste.

Don Salluste, merci.

Il ouvre la bourse, la répand sur la table, et remue avec joie les ducats, qu'il range en piles sur le tapis de velours. Pendant qu'il les compte, don Salluste va au fond du théâtre, en regardant derrière lui s'il n'éveille pas l'attention de don César. Il ouvre la petite porte de droite. À un signe qu'il fait, trois alguazils armés d'épées et vêtus de noir en sortent. Don Salluste leur montre mystérieusement don César. Ruy Blas se tient immobile et debout près de la table comme une statue, sans rien voir ni rien entendre.

DON SALLUSTE, *bas, aux alguazils.*

Vous allez suivre, alors qu'il sortira d'ici,
L'homme qui compte là de l'argent. — En silence,
Vous vous emparerez de lui. — Sans violence. —
455 Vous l'irez embarquer, par le plus court chemin,
À Denia[1]. —
Il leur remet un parchemin scellé.

Voici l'ordre écrit de ma main. —
Enfin, sans écouter sa plainte chimérique[2],
Vous le vendrez en mer aux corsaires d'Afrique.
Mille piastres[3] pour vous. Faites vite à présent.
Les trois alguazils s'inclinent et sortent.

DON CÉSAR, *achevant de ranger ses ducats.*

460 Rien n'est plus gracieux et plus divertissant
Que des écus à soi qu'on met en équilibre.
Il fait deux parts égales et se tourne vers Ruy Blas.
Frère, voici ta part.

RUY BLAS

Comment !

---

1. *Denia* : port d'Espagne près d'Alicante.
2. *Chimérique* : mensongère.
3. Une piastre est une monnaie d'argent valant environ cinq francs.

DON CÉSAR, *lui montrant une des deux piles d'or.*
Prends ! viens ! sois libre !

DON SALLUSTE, *qui les observe au fond du théâtre, à part.*
Diable !

RUY BLAS, *secouant la tête en signe de refus.*
Non. C'est le cœur qu'il faudrait délivrer.
Non, mon sort est ici. Je dois y demeurer.

DON CÉSAR

465 Bien. Suis ta fantaisie. Es-tu fou ? Suis-je sage?
Dieu le sait.
Il ramasse l'argent et le jette dans le sac qu'il empoche.

DON SALLUSTE, *au fond du théâtre, à part,*
et les observant toujours.
À peu près même air, même visage.

DON CÉSAR, *à Ruy Blas.*
Adieu.

RUY BLAS

Ta main !
*Ils se serrent la main. Don César sort sans voir don Salluste qui se tient
à l'écart.*

Acte premier Scène 3

UN DIALOGUE FRATERNEL

1. En vous appuyant sur des éléments précis du texte, vous montrerez ce qui fait de don César et de Ruy Blas deux « frères ».

2. En quoi les deux personnages se distinguent-ils pourtant ? Pensez à leur origine, à leur vie, comparez leur langage et commentez le vers 448.

3. En examinant la fin de la scène, et en particulier le jeu des regards entre les personnages, vous soulignerez l'opposition entre l'« amitié confiante » de Ruy Blas et don César et le comportement de don Salluste.

UN HÉROS DIVISÉ

Ruy Blas était apparu plutôt effacé dans la première scène. Sa confidence à don César est un coup de théâtre : c'est bien lui le héros du drame. Un héros divisé.

4. Dans sa première tirade (v. 281-320), Ruy Blas oppose deux parties de sa vie. En quoi se distinguent-elles ? À travers quelles images s'expriment la nostalgie du héros, le sentiment romantique des illusions perdues et la division de l'être par la folie ?

5. Les mots « habit » et « livrée » reviennent constamment dans cette scène. Avec quelles connotations ? Dans quelle mesure peut-on dire que Ruy Blas se révolte contre sa condition ?

LE LYRISME DE LA PASSION

6. En relevant et en analysant les métaphores hyperboliques (voir p. 259) des vers 354 à 365, vous montrerez la dimension tragique de l'amour de Ruy Blas. En quoi est-il une « folie » ? Quels autres sentiments sont exprimés par le héros (v. 367-380 et 420-430) ?

7. Étudiez les procédés du lyrisme dans la tirade des vers 382-412 (rythme des vers, emploi de la première personne, modalités de la phrase, lexique de la démence, symbolisme des fleurs, etc.).

8. Si l'on considère que Ruy Blas représente le peuple, quelle valeur prennent sa passion pour la reine et ses sentiments à l'égard du roi ?

SCÈNE 4.   RUY BLAS, DON SALLUSTE.

DON SALLUSTE

Ruy Blas ?

RUY BLAS, *se retournant vivement.*

Monseigneur ?

DON SALLUSTE

Ce matin,

Quand vous êtes venu, je ne suis pas certain
S'il faisait jour déjà ?

RUY BLAS

Pas encore, excellence.

470 J'ai remis au portier votre passe[1] en silence,
Et puis je suis monté.

DON SALLUSTE

Vous étiez en manteau ?

RUY BLAS

Oui, monseigneur.

DON SALLUSTE

Personne, en ce cas, au château
Ne vous a vu porter cette livrée encore ?

RUY BLAS

Ni personne à Madrid.

DON SALLUSTE, *désignant du doigt la porte
par où est sorti don César.*

C'est fort bien. Allez clore

475 Cette porte. Quittez cet habit.
Ruy Blas dépouille son surtout de livrée et le jette sur un fauteuil.

Vous avez
Une belle écriture, il me semble. — Écrivez :

---

1. *Passe :* laissez-passer.

Il fait signe à Ruy Blas de s'asseoir à la table où sont les plumes et les écritoires. Ruy Blas obéit.
Vous m'allez aujourd'hui servir de secrétaire.
D'abord, un billet doux, — je ne veux rien vous taire, —
Pour ma reine d'amour, pour doña Praxedis,
480 Ce démon que je crois venu du paradis.
    — Là, je dicte : « Un danger terrible est sur ma tête.
Ma reine seule — peut conjurer la tempête,
En venant me trouver ce soir dans ma maison.
Sinon, je suis perdu. Ma vie et ma raison
485 Et mon cœur, je mets tout à ses pieds que je baise. »
Il rit et s'interrompt.
Un danger ! la tournure, au fait, n'est pas mauvaise
Pour l'attirer chez moi. C'est que j'y suis expert.
Les femmes aiment fort à sauver qui les perd.
    — Ajoutez : — « Par la porte au bas de l'avenue,
490 Vous entrerez la nuit sans être reconnue.
Quelqu'un de dévoué vous ouvrira. » — D'honneur,
C'est parfait. — Ah ! signez.

RUY BLAS

             Votre nom, monseigneur ?

DON SALLUSTE

Non pas. Signez CÉSAR. C'est mon nom d'aventure.

RUY BLAS, *après avoir obéi.*

La dame ne pourra connaître[1] l'écriture ?

DON SALLUSTE

495 Bah ! le cachet suffit. J'écris souvent ainsi.
Ruy Blas, je pars ce soir, et je vous laisse ici.
J'ai sur vous les projets d'un ami très sincère.
Votre état va changer, mais il est nécessaire
De m'obéir en tout. Comme en vous j'ai trouvé
500 Un serviteur discret, fidèle et réservé...

---

1. *Connaître :* reconnaître.

RUY BLAS, *s'inclinant.*

Monseigneur !

DON SALLUSTE, *continuant.*
Je vous veux faire un destin plus large

RUY BLAS, *montrant le billet qu'il vient d'écrire.*
Où faut-il adresser la lettre ?

DON SALLUSTE
Je m'en charge.
S'approchant de Ruy Blas d'un air significatif.
Je veux votre bonheur.
Un silence. Il fait signe à Ruy Blas de se rasseoir à la table.

Don Salluste (Michel Etcheverry) et Ruy Blas (François Beaulieu)
dans une mise en scène de Jacques Destoop
à la Comédie-Française, 1979.

69

Écrivez : — « Moi, Ruy Blas,
Laquais de monseigneur le marquis de Finlas,
505 En toute occasion, ou secrète ou publique,
M'engage à le servir comme un bon domestique. »
Ruy Blas obéit.
— Signez. De votre nom. La date. Bien. Donnez.
Il ploie et serre dans son portefeuille la lettre et le papier que Ruy Blas
vient d'écrire.
On vient de m'apporter une épée. Ah ! tenez,
Elle est sur ce fauteuil.
Il désigne le fauteuil sur lequel il a posé l'épée et le chapeau. Il y va et
prend l'épée.
                              L'écharpe est d'une soie
510 Peinte et brodée au goût le plus nouveau qu'on voie.
Il lui fait admirer la souplesse du tissu.
Touchez. — Que dites-vous, Ruy Blas, de cette fleur ?
La poignée est de Gil, le fameux ciseleur,
Celui qui le mieux creuse, au gré des belles filles,
Dans un pommeau d'épée une boîte à pastille.
Il passe au cou de Ruy Blas l'écharpe, à laquelle est attachée l'épée.
515 Mettez-la donc. — Je veux en voir sur vous l'effet.
— Mais vous avez ainsi l'air d'un seigneur parfait !
Écoutant.
On vient... oui. C'est bientôt l'heure où la reine passe. —
— Le marquis del Basto ! —
La porte du fond sur la galerie s'ouvre. Don Salluste détache son
manteau et le jette vivement sur les épaules de Ruy Blas, au moment où
le marquis del Basto paraît ; puis il va droit au marquis, en entraînant
avec lui Ruy Blas stupéfait.

SCÈNE 5.   DON SALLUSTE, RUY BLAS,
DON PAMFILO D'AVALOS, marquis DEL BASTO.
Puis le marquis DE SANTA-CRUZ. — *Puis le comte*
D'ALBE. — *Puis toute la cour.*

DON SALLUSTE, *au marquis del Basto.*
Souffrez qu'à votre grâce
Je présente, marquis, mon cousin don César,
520 Comte de Garofa près de Velalcazar[1].

DON SALLUSTE, *à part.*

Ciel !

DON SALLUSTE, *bas à Ruy Blas.*

Taisez-vous !

LE MARQUIS DEL BASTO, *saluant Ruy Blas.*
Monsieur... charmé...
Il lui prend la main, que Ruy Blas lui livre avec embarras.

DON SALLUSTE, *bas, à Ruy Blas.*
Laissez-vous faire.

Saluez !
Ruy Blas salue le marquis.

LE MARQUIS DEL BASTO, *à Ruy Blas.*
J'aimais fort madame votre mère.
Bas, à don Salluste, en lui montrant Ruy Blas.
Bien changé ! Je l'aurais à peine reconnu.

DON SALLUSTE, *bas au marquis.*

Dix ans d'absence !

LE MARQUIS DEL BASTO, *de même.*
Au fait ![2]

---

1. *Velalcazar* : ville d'Andalousie, comme Garofa.
2. *Au fait* : effectivement.

71

DON SALLUSTE, *frappant sur l'épaule de Ruy Blas.*
Le voilà revenu !
525 Vous souvient-il, marquis ? oh ! quel enfant prodigue !
Comme il vous répandait les pistoles sans digue[1] !
Tous les soirs danse et fête au vivier d'Apollo[2],
Et cent musiciens faisant rage sur l'eau !
À tous moments, galas, masques, concerts, fredaines[3],
530 Éblouissant Madrid de visions soudaines !
— En trois ans, ruiné ! — c'était un vrai lion[4].
— Il arrive de l'Inde avec le galion[5].

RUY BLAS, *avec embarras.*
Seigneur...

DON SALLUSTE, *gaiement.*
Appelez-moi cousin, car nous le sommes.
Les Bazan sont, je crois, d'assez francs gentilshommes.
535 Nous avons pour ancêtre Iniguez d'Iviza.
Son petit-fils, Pedro de Bazan, épousa
Marianne de Gor. Il eut de Marianne
Jean, qui fut général de la mer Océane[6]
Sous le roi don Philippe, et Jean eut deux garçons
540 Qui sur notre arbre antique[7] ont greffé deux blasons.
Moi, je suis le marquis de Finlas ; vous, le comte
De Garofa. Tous deux se valent si l'on compte.
Par les femmes, César, notre rang est égal.
Vous êtes Aragon, moi je suis Portugal.
545 Votre branche n'est pas moins haute que la nôtre :
Je suis le fruit de l'une, et vous la fleur de l'autre.

---

1. *Répandait les pistoles sans digue :* dépensait son argent sans frein.
2. *Vivier d'Apollo :* étang orné de statues, rendez-vous des élégants.
3. *Fredaines :* fêtes galantes.
4. *Lion :* nom donné à l'époque romantique aux jeunes gens à la mode.
5. *Galion :* navire ramenant l'or du Pérou (dans les Indes occidentales).
6. *Général de la mer Océane :* amiral de la flotte espagnole.
7. *Notre arbre antique :* l'arbre généalogique.

Ruy Blas, *à part.*

Où donc m'entraîne-t-il ?
Pendant que don Salluste a parlé, le marquis de Santa-Cruz, don
Alvar de Bazan y Benavides, vieillard à moustache blanche et à grande
perruque, s'est approché d'eux.

Le marquis de Santa-Cruz, *à don Salluste.*
                    Vous l'expliquez fort bien.
S'il est votre cousin, il est aussi le mien.

Don Salluste

C'est vrai, car nous avons une même origine,
550 Monsieur de Santa-Cruz.
Il lui présente Ruy Blas
Don César.

Le marquis de Santa-Cruz
                    J'imagine
Que ce n'est pas celui qu'on croyait mort.

Don Salluste
                                        Si fait.

Le marquis de Santa-Cruz
Il est donc revenu ?

Don Salluste
            Des Indes.

Le marquis de Santa-Cruz, *examinant Ruy Blas.*
                    En effet !

Don Salluste
Vous le reconnaissez ?

Le marquis de Santa-Cruz
                Pardieu ! je l'ai vu naître !

Don Salluste, *bas à Ruy Blas.*
Le bon homme est aveugle et se défend de l'être.
555 Il vous a reconnu pour prouver ses bons yeux.

Le marquis de Santa-Cruz, *tendant la main à Ruy Blas.*
Touchez là, mon cousin.

73

RUY BLAS, *s'inclinant.*
Seigneur...

LE MARQUIS DE SANTA-CRUZ, *bas à don Salluste
et lui montrant Ruy Blas.*

On n'est pas mieux !

À Ruy Blas.
Charmé de vous revoir !

DON SALLUSTE, *bas au marquis et le prenant à part.*

Je vais payer ses dettes.
Vous le pouvez servir dans le poste où vous êtes,
Si quelque emploi de cour vaquait en ce moment,
560 Chez le roi, — chez la reine... —

LE MARQUIS DE SANTA-CRUZ, *bas.*

Un jeune homme charmant !
J'y vais songer. — Et puis, il est de la famille.

DON SALLUSTE, *bas.*

Vous avez tout crédit au conseil de Castille,
Je vous le recommande.
*Il quitte le marquis de Santa-Cruz, et va à d'autres seigneurs auxquels
il présente Ruy Blas. Parmi eux le comte d'Albe, très superbement paré.
Don Salluste leur présentant Ruy Blas.*

Un mien cousin, César,
Comte de Garofa, près de Velalcazar.
*Les seigneurs échangent gravement des révérences avec Ruy Blas
interdit.*
Don Salluste au comte de Ribagorza.
565 Vous n'étiez pas hier au ballet d'Atalante[1] ?
Lindamire a dansé d'une façon galante.
Il s'extasie sur le pourpoint du comte d'Albe.
C'est très beau, comte d'Albe !

---

1. *Ballet d'Atalante* : ballet à thème mythologique. Atalante est une princesse
célèbre pour sa vitesse à la course, mais elle fut vaincue par Hippomène et
l'épousa.

LE COMTE D'ALBE

Ah ! j'en avais encor
Un plus beau. Satin rose avec des rubans d'or.
Matalobos me l'a volé.[1]

UN HUISSIER DE COUR, *au fond du théâtre.*

La reine approche !

570 Prenez vos rangs, messieurs.

Les grands rideaux de la galerie vitrée s'ouvrent. Les seigneurs s'échelonnent près de la porte, des gardes font la haie. Ruy Blas, haletant, hors de lui, vient sur le devant du théâtre comme pour s'y réfugier. Don Salluste l'y suit.

DON SALLUSTE, *bas à Ruy Blas.*

Est-ce que, sans reproche
Quand votre sort grandit, votre esprit s'amoindrit ?
Réveillez-vous, Ruy Blas. Je vais quitter Madrid.
Ma petite maison, près du pont, où vous êtes,
— Je n'en veux rien garder, hormis les clefs secrètes, —
575 Ruy Blas, je vous la donne, et les muets aussi.
Vous recevrez bientôt d'autres ordres. Ainsi
Faites ma volonté, je fais votre fortune.
Montez, ne craignez rien, car l'heure est opportune.
La cour est un pays où l'on va sans voir clair.
580 Marchez les yeux bandés ; j'y vois pour vous, mon cher !

De nouveaux gardes paraissent au fond.

L'HUISSIER, *à haute voix.*

La reine !

RUY BLAS, *à part.*

La reine ! ah !

La reine, vêtue magnifiquement, paraît, entourée de dames et de pages, sous un dais de velours écarlate porté par quatre gentilshommes de chambre, tête nue. Ruy Blas, effaré, la regarde comme absorbé par cette resplendissante vision. Tous les grands d'Espagne se couvrent, le

---

1. *Matalobos me l'a volé* : voir v. 121 à 134.

Sophie Duez (la reine)
dans une mise en scène de Jacques Rosner
au théâtre de l'Est parisien, 1990.

marquis del Basto, le comte d'Albe, le marquis de Santa-Cruz, don
Salluste. Don Salluste va rapidement au fauteuil et y prend le chapeau,
qu'il apporte à Ruy Blas.

DON SALLUSTE, *à Ruy Blas, en lui mettant le chapeau sur la tête.*
　　　　　　　　　　　Quel vertige vous gagne ?
Couvrez-vous donc, César, vous êtes grand d'Espagne.

　　　　　RUY BLAS, *éperdu, bas à don Salluste.*
Et que m'ordonnez-vous, seigneur, présentement ?

　　　　　DON SALLUSTE, *lui montrant la reine*
　　　　　　qui traverse lentement la galerie.
De plaire à cette femme et d'être son amant.

Acte premier Scènes 4 et 5

LE PACTE DIABOLIQUE

1. Comment s'exprime dans ces deux scènes la domination exercée par le maître sur le valet ? Comment expliquer sa passivité (voir les v. 421-427) ?

2. La « scène des lettres » (sc. 4) est une pierre d'attente essentielle dans l'intrigue imaginée par don Salluste : Ruy Blas est-il conscient de signer un pacte diabolique ? Le spectateur a-t-il plus d'informations que le héros sur les projets de don Salluste ?

LA CONFUSION DES IDENTITÉS

3. Qu'est-ce qui contribue dans ces deux scènes à la confusion des identités ? Quelle est la fonction des lettres, de l'épée, du manteau et du chapeau ?

4. En 1838, le travestissement d'un valet en maître est un procédé déjà « classique ». Montrez les effets comiques du déguisement de Ruy Blas, du quiproquo sur son nom et de l'improvisation de Salluste dans la scène 5. Comment ce dernier s'affirme-t-il comme (mauvais) génie du double langage ? Étudiez en particulier le jeu des apartés.

5. Après trois scènes assez longues, l'acte s'achève sur deux scènes plus rapides et sur un dernier vers particulièrement brutal. Comment expliquer cette accélération et cette rupture de ton ?

Ensemble de l'acte premier

1. Dans cet acte d'exposition, deux actions principales se dessinent : celle menée par don Salluste et celle seulement esquissée par Ruy Blas. En quoi ces actions s'opposent-elles et en quoi se rejoignent-elles ? Quels sont les rôles respectifs du hasard, de la nécessité et de la volonté dans l'action des deux hommes ?

2. Faites le bilan des différentes confrontations et des différents rapprochements entre les trois principaux personnages apparus dans

cet acte et montrez que, par sa condition et sa participation au drame, don César se situe entre don Salluste et Ruy Blas.

3. Étudiez dans cet acte le mélange des tons et des registres, ainsi que les changements de rythme. Montrez que chaque personnage a un style qui lui est propre et définissez ce style.

4. L'atmosphère du premier acte est lourde de mystère : étudiez sous cet angle le dispositif scénique (le rideau qui masque la galerie, le jeu des clefs, le rôle des alguazils, etc.).

Les Ménines ou *la Famille de Philippe IV.*
Peinture de Velazquez, 1656.
Musée du Prado, Madrid.

Acte II

La reine d'Espagne [1]

Un salon contigu à la chambre à coucher de la reine. À gauche, une petite porte donnant dans cette chambre. À droite, sur un pan coupé, une autre porte donnant dans les appartements extérieurs. Au fond, de grandes fenêtres ouvertes. C'est l'après-midi d'une belle journée d'été. Grande table. Fauteuils. Une figure de sainte, richement enchâssée, est adossée au mur ; au bas on lit : Santa Maria Esclava. Au côté opposé est une madone devant laquelle brûle une lampe d'or. Près de la madone, un portrait en pied du roi Charles II.

Au lever du rideau, la reine doña Maria de Neubourg est dans un coin, assise à côté d'une de ses femmes, jeune et jolie fille. La reine est vêtue de blanc, robe de drap d'argent. Elle brode et s'interrompt par moments pour causer. Dans le coin opposé est assise, sur une chaise à dossier, doña Juana de la Cueva, duchesse d'Albuquerque, camerera mayor [2], une tapisserie à la main ; vieille femme en noir. Près de la duchesse, à une table, plusieurs duègnes travaillant à des ouvrages de femme. Au fond, se tient don Guritan, comte d'Oñate, majordome, grand, sec, moustaches grises, cinquante-cinq ans environ ; mine de vieux militaire, quoique vêtu avec une élégance exagérée et qu'il ait des rubans jusque sur les souliers.

---

1. *La reine d'Espagne :* le titre primitif de la pièce était *La reine s'ennuie* (rappel du drame de Hugo, *Le roi s'amuse*).
2. *Camerera mayor :* première dame d'honneur.

SCÈNE 1.   LA REINE, LA DUCHESSE D'ALBUQUERQUE, DON GURITAN, CASILDA,

duègnes.

LA REINE

585 Il est parti pourtant ! je devrais être à l'aise,
Eh bien, non ! ce marquis de Finlas ! il me pèse !
Cet homme-là me hait.

CASILDA

Selon votre souhait

N'est-il pas exilé ?

LA REINE

Cet homme-là me hait.

CASILDA

Votre majesté...

LA REINE

Vrai ! Casilda, c'est étrange,

590 Ce marquis est pour moi comme le mauvais ange.
L'autre jour, il devait partir le lendemain,
Et, comme à l'ordinaire, il vint au baise-main[1].
Tous les grands s'avançaient vers le trône à la file ;
Je leur livrais ma main, j'étais triste et tranquille,
595 Regardant vaguement, dans le salon obscur,
Une bataille au fond peinte sur un grand mur,
Quand tout à coup, mon œil se baissant vers la table,
Je vis venir à moi cet homme redoutable !
Sitôt que je le vis, je ne vis plus que lui.
600 Il venait à pas lents, jouant avec l'étui
D'un poignard dont parfois j'entrevoyais la lame,
Grave, et m'éblouissant de son regard de flamme.
Soudain, il se courba, souple et comme rampant... —
Je sentis sur ma main sa bouche de serpent !

---

1. *Baise-main :* cérémonie d'hommage, à la cour d'Espagne.

CASILDA

605 Il rendait ses devoirs : — rendons-nous pas[1] les nôtres ?

LA REINE

Sa lèvre n'était pas comme celle des autres.
C'est la dernière fois que je l'ai vu. Depuis,
J'y pense très-souvent. J'ai bien d'autres ennuis,
C'est égal, je me dis : — L'enfer est dans cette âme.
610 Devant cet homme-là je ne suis qu'une femme. —
Dans mes rêves, la nuit, je rencontre en chemin
Cet effrayant démon qui me baise la main ;
Je vois luire son œil d'où rayonne la haine ;
Et, comme un noir poison qui va de veine en veine,
615 Souvent, jusqu'à mon cœur qui semble se glacer,
Je sens en longs frissons courir son froid baiser !
Que dis-tu de cela ?

CASILDA

Purs fantômes, madame.

LA REINE

Au fait, j'ai des soucis bien plus réels dans l'âme.
À part.
Oh ! ce qui me tourmente, il faut le leur cacher !
À Casilda.
620 Dis-moi, ces mendiants qui n'osaient approcher...

CASILDA, *allant à la fenêtre.*

Je sais, madame, ils sont encor là, dans la place.

LA REINE

Tiens ! jette-leur ma bourse...
Casilda prend la bourse et va la jeter par la fenêtre.

CASILDA

Oh ! madame, par grâce,
Vous qui faites l'aumône avec tant de bonté,

---

1. *Rendons-nous pas :* ellipse de « ne », courante dans la langue classique.

Montrant à la reine don Guritan, qui, debout et silencieux au fond de la chambre, fixe sur la reine un œil plein d'adoration muette.
Ne jetterez-vous rien au comte d'Oñate ?
625 Rien qu'un mot ! — Un vieux brave ! amoureux sous l'armure !
D'autant plus tendre au cœur que l'écorce est plus dure !

LA REINE

Il est bien ennuyeux !

CASILDA
J'en conviens. — Parlez-lui !

LA REINE, *se tournant vers don Guritan.*

Bonjour, comte !
Don Guritan s'approche avec trois révérences, et vient baiser en soupirant la main de la reine, qui le laisse faire d'un air indifférent et distrait. Puis il retourne à sa place, à côté du siège de la camerera mayor.

DON GURITAN,
en se retirant, bas à Casilda.
La reine est charmante aujourd'hui !

CASILDA, *le regardant s'éloigner.*

Oh ! le pauvre héron[1] ! près de l'eau qui le tente,
630 Il se tient. Il attrape, après un jour d'attente,
Un bonjour, un bonsoir, souvent un mot bien sec,
Et s'en va tout joyeux, cette pâture au bec.

LA REINE, *avec un sourire triste.*

Tais-toi !

CASILDA

Pour être heureux, il suffit qu'il vous voie !
Voir la reine, pour lui cela veut dire : — joie !
S'extasiant sur une boîte posée sur un guéridon.
635 Oh ! la divine boîte !

---

1. *Le pauvre héron :* allusion à la fable du Héron (La Fontaine, *Fables,* VII, 4).

LA REINE

Ah ! j'en ai la clef là.

CASILDA

Ce bois de calambour[1] est exquis !

LA REINE, *lui présentant la clef.*

Ouvre-la.

Vois : — Je l'ai fait emplir de reliques, ma chère ;
Puis je vais l'envoyer à Neubourg, à mon père ;
Il sera très content ! —
Elle rêve un instant puis s'arrache vivement à sa rêverie.
À part.

Je ne veux pas penser !

640   Ce que j'ai dans l'esprit, je voudrais le chasser.
À Casilda.

Va chercher dans ma chambre un livre... — Je suis folle !
Pas un livre allemand ! tout en langue espagnole.
Le roi chasse. Toujours absent. Ah ! quel ennui !
En six mois, j'ai passé douze jours près de lui.

CASILDA

645   Épousez donc un roi pour vivre de la sorte !
La reine retombe dans sa rêverie, puis en sort de nouveau violemment et comme avec effort.

LA REINE

Je veux sortir !
À ce mot, prononcé impérieusement par la reine, la duchesse d'Albuquerque, qui est jusqu'à ce moment restée immobile sur son siège, lève la tête, puis se dresse debout et fait une profonde révérence à la reine.

LA DUCHESSE D'ALBUQUERQUE, *d'une voix brève et dure.*

Il faut, pour que la reine sorte,
Que chaque porte soit ouverte — c'est réglé ! —

---

1. *Calambour* : bois d'aloès.

Par un des grands d'Espagne ayant droit à la clé[1].
Or nul d'eux ne peut être au palais à cette heure.

LA REINE

650 Mais on m'enferme donc ! mais on veut que je meure.
Duchesse, enfin !

LA DUCHESSE, *avec une nouvelle révérence.*
Je suis camerera mayor,
Elle se rassied.
Et je remplis ma charge.

LA REINE, *prenant sa tête à deux mains, avec désespoir, à part.*
Allons ! rêver encor !
Non !
Haut.
— Vite ! un lansquenet[2] ! à moi, toutes mes femmes !
Une table, et jouons !

LA DUCHESSE, *aux duègnes.*
Ne bougez pas, mesdames.
Se levant et faisant une révérence à la reine.
655 Sa Majesté ne peut, suivant l'ancienne loi,
Jouer qu'avec des rois ou des parents du roi.

LA REINE, *avec emportement.*
Eh bien ! faites venir ces parents.

CASILDA, *à part, regardant la duchesse.*
Oh ! la duègne !

LA DUCHESSE, *avec un signe de croix.*
Dieu n'en a pas donné, madame, au roi qui règne.
La reine-mère est morte. Il est seul à présent.

LA REINE

660 Qu'on me serve à goûter !

---

1. *La clé* : insigne du chambellan.
2. *Lansquenet* : jeu de cartes.

CASILDA
Oui, c'est très amusant.

LA REINE
Casilda je t'invite.

CASILDA, *à part, regardant la camerera.*
Oh ! respectable aïeule !

LA DUCHESSE, *avec une révérence*
Quand le roi n'est pas là, la reine mange seule.
Elle se rassied.

LA REINE, *poussée à bout.*
Ne pouvoir — Ô mon Dieu ! qu'est-ce que je ferai ? —
Ni sortir, ni jouer, ni manger à mon gré !
665 Vraiment, je meurs depuis un an que je suis reine.

CASILDA, *à part, la regardant avec compassion.*
Pauvre femme ! passer tous ses jours dans la gêne,
Au fond de cette cour insipide ! et n'avoir
D'autre distraction que le plaisir de voir,
Au bord de ce marais à l'eau dormante et plate,
Regardant don Guritan toujours immobile et debout au fond de la chambre.
670 Un vieux comte amoureux rêvant sur une patte !

LA REINE, *à Casilda.*
Que faire ? voyons ! cherche une idée.

CASILDA
Ah ! tenez !
En l'absence du roi, c'est vous qui gouvernez.
Faites, pour vous distraire, appeler les ministres !

LA REINE, *haussant les épaules*
Ce plaisir ! — avoir là huit visages sinistres
675 Me parlant de la France et de son roi caduc[1],

---

1. *Son roi caduc* : il s'agit de Louis XIV, dans la période de déclin de son long règne.

De Rome, et du portrait de monsieur l'archiduc[1],
Qu'on promène à Burgos, parmi des cavalcades[2],
Sous un dais de drap d'or porté par quatre alcades !
— Cherche autre chose.

CASILDA

Eh bien ! pour vous désennuyer,
680 Si je faisais monter quelque jeune écuyer ?

LA REINE

Casilda !

CASILDA

Je voudrais regarder un jeune homme,
Madame ! cette cour vénérable m'assomme.
Je crois que la vieillesse arrive par les yeux,
Et qu'on vieillit plus vite à voir toujours des vieux !

LA REINE

685 Ris, folle ! — Il vient un jour où le cœur se reploie.
Comme on perd le sommeil, enfant, on perd la joie.
Pensive.
Mon bonheur, c'est ce coin du parc où j'ai le droit
D'aller seule.

CASILDA

Oh ! le beau bonheur, l'aimable endroit !
Des pièges sont creusés derrière tous les marbres.
690 On ne voit rien. Les murs sont plus hauts que les arbres.

LA REINE

Oh ! je voudrais sortir parfois !

CASILDA, *bas.*

Sortir ! Eh bien,
Madame, écoutez-moi. Parlons bas. Il n'est rien
De tel qu'une prison bien austère et bien sombre

---

1. *Monsieur l'archiduc* : Joseph-Charles, fils de l'empereur Léopold et
prétendant au trône de Charles II.
2. *Cavalcades* : manifestations en faveur de l'archiduc autrichien.

Pour vous faire chercher et trouver dans son ombre
695 Ce bijou rayonnant nommé la clef des champs.
— Je l'ai ! — Quand vous voudrez, en dépit des méchants,
Je vous ferai sortir, la nuit, et par la ville,
Nous irons !

LA REINE

Ciel ! jamais ! tais-toi !

CASILDA

C'est très facile !

LA REINE

Paix !
Elle s'éloigne un peu de Casilda et retombe dans sa rêverie.
Que ne suis-je encor, moi qui crains tous ces grands,
700 Dans ma bonne Allemagne avec mes bons parents !
Comme, ma sœur et moi, nous courions dans les herbes !
Et puis des paysans passaient, traînant des gerbes ;
Nous leur parlions. C'était charmant. Hélas ! un soir,
Un homme vint, qui dit : — il était tout en noir.
705 Je tenais par la main ma sœur, douce compagne. —
« Madame, vous allez être reine d'Espagne. »
Mon père était joyeux et ma mère pleurait.
Ils pleurent tous les deux à présent. — En secret
Je vais faire envoyer cette boîte à mon père,
710 Il sera bien content. — Vois, tout me désespère.
Mes oiseaux d'Allemagne, ils sont tous morts ;
Casilda fait le signe de tordre le cou à des oiseaux, en regardant de travers la camerera[1].
Et puis
On m'empêche d'avoir des fleurs de mon pays.
Jamais à mon oreille un mot d'amour ne vibre.
Aujourd'hui je suis reine. Autrefois j'étais libre !

---

1. Le détail est historique. La camerera mayor avait en effet tué les perroquets de la reine Louise d'Orléans « parce qu'ils ne savaient parler que français » (Mme d'Aulnoy).

715 Comme tu dis, ce parc est bien triste le soir,
Et les murs sont si hauts qu'ils empêchent de voir.
— Oh ! l'ennui ! —
On entend au dehors un chant éloigné.
                    Qu'est ce bruit ?

CASILDA

                    Ce sont les lavandières
Qui passent en chantant, là-bas, dans les bruyères.
*Le chant se rapproche. On distingue les paroles. La reine écoute
avidement.*

VOIX DU DEHORS

        À quoi bon entendre
720   Les oiseaux des bois ?
        L'oiseau le plus tendre
        Chante dans ta voix.
        Que Dieu montre ou voile
        Les astres des cieux !
725   La plus pure étoile
        Brille dans tes yeux.
        Qu'Avril renouvelle
        Le jardin en fleur !
        La fleur la plus belle
730   Fleurit dans ton cœur.
        Cet oiseau de flamme,
        Cet astre du jour,
        Cette fleur de l'âme,
        S'appellent l'amour.
Les voix décroissent et s'éloignent.

LA REINE, *rêveuse.*

735 L'amour ! — oui, celles-là sont heureuses. — Leur voix,
Leur chant me fait du mal et du bien à la fois.

LA DUCHESSE, *aux duègnes.*

Ces femmes, dont le chant importune la reine,
Qu'on les chasse !

LA REINE, *vivement.*

                Comment ! on les entend à peine.

Pauvres femmes ! je veux qu'elles passent en paix,
740 Madame.
À Casilda, en lui montrant une croisée au fond.
           Par ici le bois est moins épais ;
Cette fenêtre-là donne sur la campagne ;
Viens, tâchons de les voir.
Elle se dirige vers la fenêtre avec Casilda.

        LA DUCHESSE, *se levant, avec une révérence.*
               Une reine d'Espagne
Ne doit pas regarder à la fenêtre.

        LA REINE, *s'arrêtant et revenant sur ses pas.*
               Allons !
Le beau soleil couchant qui remplit les vallons,
745 La poudre d'or du soir qui monte sur la route,
Les lointaines chansons que toute oreille écoute,
N'existent plus pour moi ! j'ai dit au monde adieu.
Je ne puis même voir la nature de Dieu !
Je ne puis même voir la liberté des autres !

        LA DUCHESSE, *faisant signe aux assistants de sortir.*
750 Sortez, c'est aujourd'hui le jour des saints apôtres[1].
Casilda fait quelques pas vers la porte ; la reine l'arrête.

              LA REINE
Tu me quittes ?

          CASILDA, *montrant la duchesse.*
           Madame, on veut que nous sortions.

        LA DUCHESSE, *saluant la reine jusqu'à terre.*
Il faut laisser la reine à ses dévotions.
Tous sortent avec de profondes révérences.

---

1. *Le jour des saints apôtres* : le 29 juin, fête des apôtres Pierre et Paul.

Acte II Scène 1

« LA REINE S'ENNUIE »

1. Entre l'acte I et l'acte II, plusieurs mois ont passé. Quelles questions peut se poser le spectateur à propos des deux actions engagées dans le premier acte ? Montrez que la transition est assurée par les premières répliques de la reine (v. 590-616). Quels sentiments s'expriment dans ces tirades ? Relevez les images associées à don Salluste.

2. Quels éléments du texte prononcé et des didascalies (présentation du décor, des personnages en scène et de leurs activités) suggèrent que la reine est prisonnière dans son propre palais ? Comment s'expriment son ennui et sa nostalgie ? Commentez en particulier les vers 744-749 et leur lyrisme élégiaque, ainsi que le symbolisme rustique des fleurs et des oiseaux (v. 711-712 et 719-734).

3. Par quels procédés (jeu des couleurs, position dans l'espace, apartés, etc.), la reine est-elle distinguée de ses « gardes » ? Comment vous représentez-vous sa vie (voir aussi les v. 384-394) ? Comment est dramatisé son conflit avec la duchesse d'Albuquerque ? Examinez en particulier, du vers 646 au vers 665, l'utilisation dans le dialogue de l'alexandrin.

TENTATIVES D'ÉVASION

4. Casilda apparaît comme l'exacte antithèse de la camerera mayor : comment s'exprime sa gaieté ? Dans quelle mesure peut-on la rapprocher des personnages de « bouffon », de « fou » qu'on rencontre à la cour des rois et dans le théâtre de Hugo (voir *Le roi s'amuse*) ? Étudiez l'humour et les sonorités des vers 682-684.

5. Le rêve est une manière pour la reine de s'évader. Relevez et étudiez les occurrences de ce thème et de ce désir.

6. En quoi la chanson qui s'introduit dans le palais aux vers 719-734 symbolise-t-elle la liberté ? Montrez qu'elle rompt avec l'alexandrin en introduisant un autre genre de poésie.

SCÈNE 2.   LA REINE, *seule.*

À ses dévotions ? dis donc à sa pensée !
Où la fuir maintenant ? seule ! Ils m'ont tous laissée.
755 Pauvre esprit sans flambeau dans un chemin obscur !
Rêvant.
Oh ! cette main sanglante empreinte sur le mur !
Il s'est donc blessé ? Dieu ! — mais aussi c'est sa faute.
Pourquoi vouloir franchir la muraille si haute ?
Pour m'apporter les fleurs qu'on me refuse ici,
760 Pour cela, pour si peu, s'aventurer ainsi !
C'est aux pointes de fer qu'il s'est blessé sans doute.
Un morceau de dentelle y pendait. Une goutte
De ce sang répandu pour moi vaut tous mes pleurs.
S'enfonçant dans sa rêverie.
Chaque fois qu'à ce banc je vais chercher les fleurs,
765 Je promets à mon Dieu, dont l'appui me délaisse,
De n'y plus retourner. J'y retourne sans cesse.
— Mais lui ! voilà trois jours qu'il n'est pas revenu.
— Blessé ! — qui que tu sois, ô jeune homme inconnu !
Toi qui, me voyant seule et loin de ce qui m'aime,
770 Sans me rien demander, sans rien espérer même,
Viens à moi, sans compter les périls où tu cours ;
Toi qui verses ton sang, toi qui risques tes jours
Pour donner une fleur à la reine d'Espagne ;
Qui que tu sois, ami dont l'ombre m'accompagne,
775 Puisque mon cœur subit une inflexible loi,
Sois aimé par ta mère et sois béni par moi !
Vivement et portant la main à son cœur.
— Oh ! sa lettre me brûle !
Retombant dans sa rêverie.
                              Et l'autre ! l'implacable
Don Salluste ! le sort me protège et m'accable.
En même temps qu'un ange un spectre affreux me suit ;
780 Et, sans les voir, je sens s'agiter dans ma nuit,
Pour m'amener peut-être à quelque instant suprême,
Un homme qui me hait près d'un homme qui m'aime.
L'un me sauvera-t-il de l'autre ? Je ne sais.
Hélas ! mon destin flotte à deux vents opposés.

93

785 Que c'est faible une reine et que c'est peu de chose !
Prions.
Elle s'agenouille devant la madone.
　　　　— Secourez-moi, madame ! car je n'ose
Élever mon regard jusqu'à vous !
Elle s'interrompt.
　　　　　　　　　　　　— Ô mon Dieu !
La dentelle, la fleur, la lettre, c'est du feu !
Elle met la main dans sa poitrine et en arrache une lettre froissée, un bouquet desséché de petites fleurs bleues et un morceau de dentelle taché de sang qu'elle jette sur la table, puis elle retombe à genoux.
Vierge ! astre de la mer[1] ! Vierge ! espoir du martyre !
790 Aidez-moi ! —
S'interrompant.
　　　　　　Cette lettre !
Se tournant à demi vers la table.
　　　　　　　　　　Elle est là qui m'attire.
S'agenouillant de nouveau.
Je ne veux plus la lire ! — Ô reine de douceur !
Vous qu'à tout affligé Jésus donne pour sœur !
Venez, je vous appelle ! —
Elle se lève, fait quelques pas vers la table, puis s'arrête, puis enfin se précipite sur la lettre, comme cédant à une attraction irrésistible.
　　　　　　　　　　Oui, je vais la relire
Une dernière fois ! Après, je la déchire !
Avec un sourire triste.
795 Hélas ! depuis un mois je dis toujours cela.
Elle déplie la lettre résolument et lit.
« Madame, sous vos pieds, dans l'ombre, un homme est là
Qui vous aime, perdu dans la nuit qui le voile ;
Qui souffre, ver de terre amoureux d'une étoile ;
Qui pour vous donnera son âme, s'il le faut ;
800 Et qui se meurt en bas quand vous brillez en haut. »
Elle pose la lettre sur la table.

---

1. *Vierge ! astre de la mer* : il s'agit de la prière *Ave, maris stella.*

Quand l'âme a soif, il faut qu'elle se désaltère,
Fût-ce dans du poison !
Elle remet la lettre et la dentelle dans sa poitrine.
                    Je n'ai rien sur la terre.
Mais enfin il faut bien que j'aime quelqu'un, moi !
Oh ! s'il avait voulu, j'aurais aimé le roi.
805 Mais il me laisse ainsi, — seule, — d'amour privée.
La grande porte s'ouvre à deux battants. Entre un huissier de chambre en grand costume.

L'HUISSIER, *à haute voix.*

Une lettre du roi !

LA REINE, *comme réveillée en sursaut, avec un cri de joie.*
Du roi ! je suis sauvée !

Acte II Scène 2

LA CONFUSION DES SENTIMENTS

1. Quelle est la justification de ce monologue à cet endroit de l'acte ? Quelles répliques de la scène précédente l'ont annoncé ?

2. Vous montrerez que la reine est partagée entre plusieurs sentiments. Examinez en particulier les vers 775-790. Recherchez les alexandrins où s'opposent, de part et d'autre de la césure, des aspirations contradictoires. Quelle est la place de la religion dans ce monologue ?

3. Quelles sont les marques stylistiques de l'émotion dans ce discours ? Quels sont les pronoms personnels utilisés par la reine aux vers 757-767 puis aux vers 768-776 ? En quoi sont-ils significatifs d'une prise de conscience de ses propres sentiments ?

4. En considérant exclusivement les didascalies, vous analyserez de quelle manière elles traduisent la confusion des sentiments de la reine.

LE LANGAGE DES OBJETS

5. Au sens étymologique, un « symbole » est un objet partagé en deux morceaux entre deux personnes et utilisé comme signe de reconnaissance. En quoi « la dentelle, la fleur et la lettre » (v. 788) sont-elles des symboles ? Pourquoi la lettre est-elle un symbole privilégié ? Comment est-elle mise en valeur par le texte prononcé et les indications scéniques ?

6. Montrez que le monologue de la reine répond à la tirade de Ruy Blas des vers 394 à 412.

7. Relevez les images caractérisant Ruy Blas dans sa lettre (v. 796 à 800) et celles désignant la reine (v. 755 et 785). En quoi sont-elles en harmonie ? Quelle distance s'établit pourtant entre Ruy Blas et la reine ?

SCÈNE 3. LA REINE, LA DUCHESSE
D'ALBUQUERQUE, CASILDA, DON GURITAN,
femmes de la reine, pages, RUY BLAS.

Tous entrent gravement. La duchesse en tête, puis les femmes. Ruy Blas reste au fond du théâtre. Il est magnifiquement vêtu. Son manteau tombe sur son bras gauche et le cache. Deux pages, portant sur un coussin de drap d'or la lettre du roi, viennent s'agenouiller devant la reine, à quelques pas de distance.

RUY BLAS, *au fond du théâtre, à part.*
Où suis-je ? — Qu'elle est belle ! — Oh ! pour qui suis-je ici ?

LA REINE, *à part.*
C'est un secours du ciel !
Haut.
Donnez vite !...
Se retournant vers le portrait du roi.
Merci,

Monseigneur !
À la duchesse.
D'où me vient cette lettre ?

LA DUCHESSE
Madame,
810 D'Aranjuez[1] où le roi chasse.

LA REINE
Du fond de l'âme
Je lui rends grâce. Il a compris qu'en mon ennui,
J'avais besoin d'un mot d'amour qui vînt de lui !
Mais donnez donc !

LA DUCHESSE, *avec une révérence, montrant la lettre.*
L'usage, il faut que je le dise,
Veut que ce soit d'abord moi qui l'ouvre et la lise.

---

1. *Aranjuez :* voir la note du vers 368.

LA REINE

815 Encore ! — Eh bien, lisez !
La duchesse prend la lettre et la déploie lentement.

CASILDA, *à part.*
Voyons le billet doux.

LA DUCHESSE, *lisant.*
« Madame, il fait grand vent et j'ai tué six loups[1].
Signé, CARLOS. »

LA REINE, *à part.*
Hélas !

DON GURITAN, *à la duchesse.*
C'est tout ?

LA DUCHESSE
Oui, seigneur comte.

CASILDA, *à part.*
Il a tué six loups ! comme cela vous monte
L'imagination ! Votre cœur est jaloux,
820 Tendre, ennuyé, malade ? — Il a tué six loups !

LA DUCHESSE, *à la reine en lui présentant la lettre.*
Si sa majesté veut ?...

LA REINE, *la repoussant.*
Non.

CASILDA, *à la duchesse.*
C'est bien tout ?

LA DUCHESSE
Sans doute.
Que faut-il donc de plus ? notre roi chasse ; en route
Il écrit ce qu'il tue avec le temps qu'il fait.
C'est fort bien.

---

1. Transcription quasi littérale de ce que rapportent les Mémoires de Mme d'Aulnoy.

Examinant de nouveau la lettre.
                    Il écrit ? non, il dicte.

              LA REINE, *lui arrachant la lettre et l'examinant à son tour.*
                              En effet,
825 Ce n'est pas de sa main. Rien que sa signature !
Elle l'examine avec plus d'attention et paraît frappée de stupeur.
À part.
Est-ce une illusion ? c'est la même écriture
Que celle de la lettre !
Elle désigne de la main la lettre qu'elle vient de cacher sur son cœur.
                    Oh ? qu'est-ce que cela ?

À la duchesse.
Où donc est le porteur du message ?

              LA DUCHESSE, *montrant Ruy Blas.*
                              Il est là.

         LA REINE, *se tournant à demi vers Ruy Blas.*
Ce jeune homme ?

                    LA DUCHESSE
              C'est lui qui l'apporte en personne.
830 — Un nouvel écuyer que sa majesté donne
À la reine. Un seigneur que de la part du roi
Monsieur de Santa-Cruz[1] me recommande, à moi.

                    LA REINE

Son nom ?

                    LA DUCHESSE
              C'est le seigneur César de Bazan, comte
De Garofa. S'il faut croire ce qu'on raconte,
835 C'est le plus accompli gentilhomme qui soit.

                    LA REINE

Bien. Je veux lui parler.
À Ruy Blas.

                    Monsieur...

---

1. *Santa-Cruz :* voir la promesse faite par Santa-Cruz à don Salluste (v. 560-561).

RUY BLAS, *à part, tressaillant.*

Elle me voit !

Elle me parle ! Dieu ! je tremble.

LA DUCHESSE, *à Ruy Blas.*

Approchez, comte.

DON GURITAN,
regardant Ruy Blas de travers, à part.

Ce jeune homme ! écuyer ! ce n'est pas là mon compte.
Ruy Blas pâle et troublé approche à pas lents.

LA REINE, *à Ruy Blas.*

Vous venez d'Aranjuez ?

RUY BLAS, *s'inclinant.*

Oui, Madame.

LA REINE

Le roi

840 Se porte bien ?
Ruy Blas s'incline, elle montre la lettre royale.

Il a dicté ceci pour moi ?

RUY BLAS

Il était à cheval. Il a dicté la lettre...
Il hésite un moment.
À l'un des assistants.

LA REINE, *à part, regardant Ruy Blas.*

Son regard me pénètre.

Je n'ose demander à qui.
Haut.

C'est bien, allez.

— Ah ! —
Ruy Blas qui avait fait quelques pas pour sortir revient vers la reine.

Beaucoup de seigneurs étaient là rassemblés ?
À part.

845 Pourquoi donc suis-je émue en voyant ce jeune homme ?
Ruy Blas s'incline, elle reprend.

Lesquels ?

100

RUY BLAS

Je ne sais pas les noms dont on les nomme.
Je n'ai passé là-bas que des instants fort courts.
Voilà trois jours que j'ai quitté Madrid.

LA REINE, *à part.*

Trois jours !

Elle fixe un regard plein de trouble sur Ruy Blas.

RUY BLAS, *à part.*

C'est la femme d'un autre ! ô jalousie affreuse !
850 — Et de qui ! — Dans mon cœur un abîme se creuse.

DON GURITAN, *s'approchant de Ruy Blas.*

Vous êtes écuyer de la reine ? Un seul mot.
Vous connaissez quel est votre service ? Il faut
Vous tenir cette nuit dans la chambre prochaine,
Afin d'ouvrir au roi, s'il venait chez la reine.

RUY BLAS, *tressaillant.*

À part.
855 Ouvrir au roi ! moi !
Haut.

Mais... il est absent.

DON GURITAN

Le roi

Peut-il pas arriver à l'improviste ?

RUY BLAS, *à part.*

Quoi !

DON GURITAN, *à part, observant Ruy Blas.*

Qu'a-t-il ?

LA REINE, *qui a tout entendu et dont le regard est resté
fixé sur Ruy Blas*

Comme il pâlit !
Ruy Blas chancelant s'appuie sur le bras d'un fauteuil.

CASILDA, *à la reine.*

Madame, ce jeune homme

Se trouve mal !...

101

RUY BLAS, *se soutenant à peine.*

Moi, non ! mais c'est singulier comme
Le grand air... le soleil... la longueur du chemin...
À part

860 — Ouvrir au roi !

Il tombe épuisé sur un fauteuil, son manteau se dérange et laisse voir sa main gauche enveloppée de linges ensanglantés.

CASILDA

Grand Dieu, madame ! à cette main
Il est blessé !

LA REINE

Blessé !

CASILDA

Mais il perd connaissance.
Mais vite, faisons-lui respirer quelque essence !

LA REINE, *fouillant dans sa gorgerette.*
Un flacon que j'ai là contient une liqueur...
En ce moment son regard tombe sur la manchette que Ruy Blas porte au bras droit.
À part.
C'est la même dentelle !
Au même instant, elle a tiré le flacon de sa poitrine, et dans son trouble elle a pris en même temps le morceau de dentelle qui y était caché. Ruy Blas, qui ne la quitte pas des yeux, voit cette dentelle sortir du sein de la reine.

RUY BLAS, *éperdu.*
Oh !
Le regard de la reine et le regard de Ruy Blas se rencontrent. Un silence.

LA REINE, *à part.*
C'est lui !

RUY BLAS, *à part.*
Sur son cœur !

LA REINE, *à part.*
865 C'est lui !

RUY BLAS, *à part.*

Faites, mon Dieu, qu'en ce moment je meure !
Dans le désordre de toutes les femmes s'empressant autour de Ruy Blas,
ce qui se passe entre la reine et lui n'est remarqué de personne.

CASILDA, *faisant respirer le flacon à Ruy Blas.*

Comment vous êtes-vous blessé ? c'est tout à l'heure ?
Non ? cela s'est rouvert en route ? Aussi pourquoi
Vous charger d'apporter le message du roi ?

LA REINE, *à Casilda.*

Vous finirez bientôt vos questions, j'espère.

LA DUCHESSE, *à Casilda.*

870 Qu'est-ce que cela fait à la reine, ma chère ?

LA REINE

Puisqu'il avait écrit la lettre, il pouvait bien
L'apporter, n'est-ce pas ?

CASILDA

             Mais il n'a dit en rien
Qu'il eût écrit la lettre.

LA REINE, *à part.*

          Oh !

À Casilda.

             Tais-toi !

CASILDA, *à Ruy Blas.*

                  Votre grâce

Se trouve-t-elle mieux ?

RUY BLAS

Je renais !

LA REINE, *à ses femmes.*

               L'heure passe,
875 Rentrons. — Qu'en son logis le comte soit conduit.
Aux pages, au fond du théâtre.
Vous savez que le roi ne vient pas cette nuit ?
Il passe la saison tout entière à la chasse.
Elle rentre avec sa suite dans ses appartements.

CASILDA, *la regardant sortir.*

La reine a dans l'esprit quelque chose.

Elle sort par la même porte que la reine en emportant la petite cassette aux reliques.

RUY BLAS, *resté seul.*

Il semble écouter encore quelque temps avec une joie profonde les dernières paroles de la reine. Il paraît comme en proie à un rêve. Le morceau de dentelle, que la reine a laissé tomber dans son trouble, est resté à terre sur le tapis. Il le ramasse, le regarde avec amour, et le couvre de baisers. Puis il lève les yeux au ciel.

Ô Dieu ! grâce !

Ne me rendez pas fou !

Regardant le morceau de dentelle.

C'était bien sur son cœur !

Il le cache dans sa poitrine. — Entre don Guritan. Il revient par la porte de la chambre où il a suivi la reine. Il marche à pas lents vers Ruy Blas. Arrivé près de lui sans dire un mot, il tire à demi son épée, et la mesure du regard avec celle de Ruy Blas. Elles sont inégales. Il remet son épée dans le fourreau. Ruy Blas le regarde faire avec étonnement.

Acte II Scène 3

COUP DE THÉÂTRE SUR LA SCÈNE DU CŒUR

1. La rencontre entre Ruy Blas et la reine constitue le sommet de l'acte II et prend la forme d'un coup de théâtre. Vous montrerez que celui-ci est à la fois préparé par les scènes précédentes et habilement retardé par le début de la scène 3.

2. Quels éléments du texte prononcé et des didascalies soulignent la montée de l'intensité dramatique ? À quel moment atteint-elle son paroxysme ?

3. Cette scène comprend 62 répliques et seulement 77 vers. Vous la comparerez de ce point de vue à d'autres scènes et vous y étudierez le travail sur l'alexandrin. Examinez en particulier les vers 855-861 et 864-865 et recherchez des contre-rejets. Quel est leur effet ?

4. Deux lettres sont évoquées dans cette scène mais on n'en voit qu'une. Comment ces lettres sont-elles à la fois associées et opposées ? En quoi sont-elles, chacune à leur manière, déterminantes ?

JEU DE REGARDS

5. Cette scène de rencontre amoureuse est aussi, selon un schéma classique au théâtre, une « scène de reconnaissance » : quelles sont les étapes et les symboles de cette reconnaissance ?

6. Cette scène de demi-aveux donne lieu à un extraordinaire jeu de regards. Qui regarde qui ? Que révèlent ces regards ? Pourquoi sont-ils plus importants que les paroles ? Quelle conception de l'amour illustrent ces échanges muets ?

SCÈNE 4.   RUY BLAS, DON GURITAN.

DON GURITAN, *repoussant son épée dans le fourreau.*
880 J'en apporterai deux de pareille longueur.

RUY BLAS

Monsieur, que signifie ?...

DON GURITAN, *avec gravité.*
En mil six cent cinquante[1],
J'étais très amoureux. J'habitais Alicante[2].
Un jeune homme bien fait, beau comme les amours,
Regardait de fort près ma maîtresse, et toujours
885 Passait sous son balcon, devant la cathédrale,
Plus fier qu'un capitan sur la barque amirale.
Il avait nom Vasquez, seigneur, quoique bâtard.
Je le tuai. —
Ruy Blas veut l'interrompre, don Guritan l'arrête du geste, et continue.
Vers l'an soixante-six, plus tard,
Gil, comte d'Iscola, cavalier magnifique,
890 Envoya chez ma belle, appelée Angélique,
Avec un billet doux, qu'elle me présenta,
Un esclave nommé Grifel de Viserta.
Je fis tuer l'esclave et je tuai le maître.

RUY BLAS

Monsieur !...

DON GURITAN, *poursuivant.*
Plus tard, vers l'an quatre-vingt, je crus être
895 Trompé par ma beauté, fille aux tendres façons,
Pour Tirso Gamonal, un de ces beaux garçons
Dont le visage altier et charmant s'accommode
D'un panache éclatant. C'est l'époque où la mode

---

1. *Mil six cent cinquante* : soit 48 ans avant l'époque évoquée par le drame !
2. *Alicante* : port espagnol de la Méditerranée.

Était qu'on fît ferrer ses mules en or fin.
900 Je tuai don Tirso Gamonal.

RUY BLAS

Mais enfin
Que veut dire cela, monsieur ?

DON GURITAN

Cela veut dire,
Comte, qu'il sort de l'eau du puits quand on en tire ;
Que le soleil se lève à quatre heures demain ;
Qu'il est un lieu désert et loin de tout chemin,
905 Commode aux gens de cœur, derrière la chapelle ;
Qu'on vous nomme, je crois, César, et qu'on m'appelle
Don Gaspar Gurian Tassis y Guevarra[1],
Comte d'Oñate.

RUY BLAS, *froidement.*

Bien, monsieur. On y sera.
*Depuis quelques instants, Casilda, curieuse, est entrée à pas de loup
par la petite porte du fond, et a écouté les dernières paroles des deux
interlocuteurs sans être vue d'eux.*

CASILDA, *à part.*

Un duel ! avertissons la reine.
Elle rentre et disparaît par la petite porte.

DON GURITAN, *toujours imperturbable.*

En vos études,
910 S'il vous plaît de connaître un peu mes habitudes,
Pour votre instruction, monsieur, je vous dirai
Que je n'ai jamais eu qu'un goût fort modéré
Pour ces godelureaux[2], grands friseurs de moustache,
Beaux damerets[3] sur qui l'œil des femmes s'attache,
915 Qui sont tantôt plaintifs et tantôt radieux,

---

1. *Don Gaspar Guritan Tassis y Guevarra* : ces noms, tirés des Mémoires de
Mᵐᵉ d'Aulnoy, ont séduit Hugo par leurs sonorités.
2. *Godelureaux* : jeunes élégants.
3. *Damerets* : jeunes hommes d'une galanterie raffinée.

Et qui dans les maisons, faisant force clins d'yeux,
Prenant sur les fauteuils d'adorables tournures,
Viennent s'évanouir pour des égratignures.

RUY BLAS

Mais — Je ne comprends pas.

DON GURITAN

Vous comprenez fort bien.

920 Nous sommes tous les deux épris du même bien.
L'un de nous est de trop dans ce palais. En somme,
Vous êtes écuyer, moi je suis majordome.
Droits pareils. Au surplus, je suis mal partagé,
La partie entre nous n'est pas égale : j'ai
925 Le droit du plus ancien, vous le droit du plus jeune.
Donc vous me faites peur. À la table où je jeûne
Voir un jeune affamé s'asseoir avec des dents
Effrayantes, un air vainqueur, des yeux ardents,
Cela me trouble fort. Quant à lutter ensemble
930 Sur le terrain d'amour, beau champ qui toujours tremble,
De fadaises[1], mon cher, je sais mal faire assaut,
J'ai la goutte ; et d'ailleurs ne suis point assez sot
Pour disputer le cœur d'aucune Pénélope[2]
Contre un jeune gaillard si prompt à la syncope[3].
935 C'est pourquoi vous trouvant fort beau, fort caressant,
Fort gracieux, fort tendre et fort intéressant,
Il faut que je vous tue.

RUY BLAS

Eh bien, essayez.

DON GURITAN

Comte

De Garofa, demain, à l'heure où le jour monte,

1. *Fadaises* : propos inconsistants.
2. *Pénélope* : la fidèle épouse d'Ulysse qui résista dix ans durant aux assauts de ses prétendants.
3. Allusion à l'évanouissement de Ruy Blas dans la scène précédente (II, 3).

À l'endroit indiqué, sans témoin, ni valet,
940 Nous nous égorgerons galamment, s'il vous plaît,
Avec épée et dague, en dignes gentilshommes,
Comme il sied quand on est des maisons dont nous sommes.
Il tend la main à Ruy Blas qui la lui prend.

RUY BLAS

Pas un mot de ceci, n'est-ce pas ? —
Le comte fait un signe d'adhésion.
À demain.

Ruy Blas sort.

DON GURITAN, *resté seul.*

Non, je n'ai pas du tout senti trembler sa main.
945 Être sûr de mourir et faire de la sorte,
C'est d'un brave jeune homme !
*Bruit d'une clef à la petite porte de la chambre de la reine. Don Guritan
se retourne.*
On ouvre cette porte ?
*La reine paraît et marche vivement vers don Guritan, surpris et charmé
de la voir. Elle tient entre ses mains la petite cassette.*

SCÈNE 5.   DON GURITAN, LA REINE.

LA REINE, *avec un sourire.*
C'est vous que je cherchais !

DON GURITAN, *ravi.*
Qui me vaut ce bonheur ?

LA REINE, *posant la cassette sur le guéridon.*
Oh ! Dieu, rien, ou du moins peu de chose, seigneur.
Elle rit.
Tout à l'heure on disait parmi d'autres paroles, —
950 Casilda, — vous savez que les femmes sont folles, —
Casilda soutenait que vous feriez pour moi
Tout ce que je voudrais.

DON GURITAN

Elle a raison !

LA REINE, *riant*

Ma foi,

J'ai soutenu que non.

DON GURITAN

Vous avez tort, madame !

LA REINE

Elle a dit que pour moi vous donneriez votre âme,
955 Votre sang...

DON GURITAN

Casilda parlait fort bien ainsi.

LA REINE

Et moi, j'ai dit que non.

DON GURITAN

Et moi, je dis que si !
Pour votre majesté, je suis prêt à tout faire.

LA REINE

Tout ?

DON GURITAN

Tout !

LA REINE

Eh bien, voyons, jurez que pour me plaire
Vous ferez à l'instant ce que je vous dirai.

DON GURITAN

960 Par le saint roi Gaspar[1], mon patron vénéré,
Je le jure ! ordonnez. J'obéis, ou je meure !

---

1. *Le saint roi Gaspar :* l'un des rois mages.

LA REINE, *prenant la cassette.*

Bien. Vous allez partir de Madrid tout à l'heure[1]
Pour porter cette boîte en bois de calambour
À mon père monsieur l'électeur de Neubourg.

DON GURITAN, *à part.*

965 Je suis pris !
Haut.

   À Neubourg !

LA REINE
   À Neubourg.

DON GURITAN
      Six cents lieues !

LA REINE

Cinq cent cinquante. —
Elle montre la housse de soie qui enveloppe la cassette.
     Ayez grand soin des franges bleues !
Cela peut se faner en route.

DON GURITAN
    Et quand partir ?

LA REINE

Sur-le-champ.

DON GURITAN
   Ah ! demain !

LA REINE
    Je n'y puis consentir.

DON GURITAN, *à part.*

Je suis pris !
Haut.
   Mais...

---

1. *Tout à l'heure :* tout de suite.

LA REINE

Partez !

DON GURITAN

Quoi ?...

LA REINE

J'ai votre parole.

DON GURITAN

970   Une affaire...

LA REINE

Impossible.

DON GURITAN

Un objet si frivole...

LA REINE

Vite !

DON GURITAN

Un seul jour !

LA REINE

Néant.

DON GURITAN

Car...

LA REINE

Faites à mon gré.

DON GURITAN

Je...

LA REINE

Non.

DON GURITAN

Mais...

LA REINE

Partez !

112

DON GURITAN
Si...

LA REINE
Je vous embrasserai !
Elle lui saute au cou et l'embrasse.

DON GURITAN, *fâché et charmé.*
Haut.
Je ne résiste plus. J'obéirai, madame.
À part.
Dieu s'est fait homme ; soit. Le diable s'est fait femme !

LA REINE, *montrant la fenêtre.*
975   Une voiture en bas est là qui vous attend.

DON GURITAN
Elle avait tout prévu !
Il écrit sur un papier quelques mots à la hâte et agite une sonnette.
Un page paraît.
Page, porte à l'instant
Au seigneur don César de Bazan cette lettre.
À part.
Ce duel ! à mon retour il faut bien le remettre.
Je reviendrai !
Haut.
Je vais contenter de ce pas
980   Votre Majesté.

LA REINE
Bien.
Il prend la cassette, baise la main de la reine, salue profondément et sort.
Un moment après, on entend le roulement d'une voiture qui s'éloigne.

LA REINE, *tombant sur un fauteuil.*
Il ne le tuera pas !

113

Acte II Scènes 4 et 5

LE « HÉRON » PRIS AU PIÈGE

L'acte II s'ouvre dans une tonalité élégiaque. Le final est au contraire plein d'humour et de brio : Hugo y parodie avec talent une scène classique de l'héroïsme cornélien : la provocation en duel (voir *le Cid*, II, 2). Don Guritan lui-même, le vieillard amoureux, est une figure souvent représentée au théâtre : on peut penser à l'Arnolphe de *l'École des femmes*, de Molière, au Bartholo du *Barbier de Séville*, de Beaumarchais, ou, dans un registre plus grave, au don Ruy Gomez d'*Hernani*.

1. En quoi le personnage de don Guritan est-il comique ? Comment Hugo a-t-il caricaturé les traits du vieillard amoureux et jaloux (voir aussi la première scène de l'acte II) ? Comment Ruy Blas et la reine échappent-ils à la dérision ?

2. Outre le comique de caractère, quelles sont les formes de comique présentes dans ces scènes ? Étudiez en particulier le comique verbal (comique de répétition, d'interruption, ironie, jeu sur les mots à la rime, etc.).

3. Dans quelle partie de ces scènes le dialogue atteint-il le plus haut degré de virtuosité ? Par quels procédés ?

Ensemble de l'acte II

1. Étudiez la métamorphose de la reine, de la passivité inquiète de la première scène à la passion agissante de la dernière. Peut-on dire que Ruy Blas, du premier acte à l'acte II, connaît une évolution parallèle ?

2. Dans cet acte, scènes publiques (1, 3), monologues et scènes privées (2, 4 et 5) alternent. Commentez cette disposition et montrez que, dans la scène 3, le public et le privé (le code social et le code intime) sont à la fois mêlés et opposés.

3. Organisez en une synthèse vos analyses du rôle des signes non-verbaux (objets, gestes, regards, etc.) dans l'expression et la reconnaissance de l'amour.

4. Dans cet acte comme dans certains drames shakespeariens (*Hamlet, le Roi Lear*) et comme dans *Hernani*, la jeunesse et la vieillesse s'affrontent. Décrivez et expliquez les différents aspects de cette confrontation.

Acte III

Ruy Blas

*La salle dite salle de gouvernement, dans le palais du roi à Madrid.
Au fond, une grande porte élevée au-dessus de quelques marches. Dans
l'angle, à gauche, un pan coupé formé par une tapisserie de haute lice[1].
Dans l'angle opposé, une fenêtre. À droite, une table carrée, revêtue
d'un tapis de velours vert, autour de laquelle sont rangés des tabourets
pour huit ou dix personnes correspondant à autant de pupitres placés
sur la table. Le côté de la table qui fait face aux spectateurs est occupé
par un grand fauteuil recouvert de drap d'or et surmonté d'un dais en
drap d'or, aux armes d'Espagne, timbrées de la couronne royale. À côté
de ce fauteuil, une chaise.
Au moment où le rideau se lève, la junte[2] du* Despacho Universal
(conseil privé du roi) est au moment de prendre séance.

SCÈNE 1. DON MANUEL ARIAS, *président de Castille.*
DON PEDRO VELEZ DE GUEVARRA, *comte de
Camporeal, conseiller de cape et d'épée de la cantaduria mayor*[3].
DON FERNANDO DE CORDOVA Y AGUILAR,
marquis de Priego, même qualité. ANTONIO UBILLA, *écrivain
mayor des rentes*[4]. MONTAZGO, *conseiller de robe de la*

---

1. *De haute lice* : dont les fils de chaîne sont disposés verticalement.
2. *Junte* : assemblée.
3. *Cantaduria mayor* : tribunal des finances.
4. *Écrivain mayor des rentes* : contrôleur des finances.

Ruy Blas (Lambert Wilson) dans une mise en scène
de Georges Wilson aux Bouffes du Nord, 1992.

chambre des Indes[1]. COVADENGA, *secrétaire suprême des
Îles*[2]. *Plusieurs autres conseillers.*
*Les conseillers de robe vêtus de noir. Les autres en habit
de cour. Camporeal a la croix de Calatrava*[3] *au manteau.
Priego, la Toison d'or au cou.*

*Don Manuel Arias, président de Castille, et le comte de Camporeal
causent à voix basse, et entre eux, sur le devant du théâtre, les autres
conseillers font des groupes çà et là dans la salle.*

DON MANUEL ARIAS
Cette fortune-là cache quelque mystère.

LE COMTE DE CAMPOREAL
Il a la Toison d'or. Le voilà secrétaire
Universel[4], ministre, et puis duc d'Olmedo !

DON MANUEL ARIAS
En six mois !

LE COMTE DE CAMPOREAL
On le sert derrière le rideau.

DON MANUEL ARIAS, *mystérieusement.*
985 La reine !

LE COMTE DE CAMPOREAL
Au fait, le roi, malade et fou dans l'âme,
Vit avec le tombeau de sa première femme[5].
Il abdique, enfermé dans son Escurial,
Et la reine fait tout !

---

1. *Chambre des Indes* : conseil des Indes occidentales.
2. *Des Îles* : les Baléares et les Canaries.
3. *Croix de Calatrava* : décoration de l'ordre religieux et militaire fondé à Calatrava (Nouvelle-Castille) en 1158 par les chevaliers de l'ordre de Cîteaux.
4. *Secrétaire universel* : il est secrétaire d'État et du Conseil privé.
5. *Sa première femme* : Marie-Louise d'Orléans, fille d'Henriette d'Angleterre, morte en 1689.

DON MANUEL ARIAS
Mon cher Camporeal,
Elle règne sur nous, et don César sur elle.

LE COMTE DE CAMPOREAL
990 Il vit d'une façon qui n'est pas naturelle.
D'abord, quant à la reine, il ne la voit jamais.
Ils paraissent se fuir. Vous me direz non, mais
Comme depuis six mois je les guette, et pour cause,
J'en suis sûr. Puis il a le caprice morose
995 D'habiter, assez près de l'hôtel de Tormez,
Un logis aveuglé par des volets fermés,
Avec deux laquais noirs, gardeurs de portes closes,
Qui, s'ils n'étaient muets, diraient beaucoup de choses.

DON MANUEL ARIAS
Des muets ?

LE COMTE DE CAMPOREAL
Des muets. — Tous ses autres valets
1000 Restent au logement qu'il a dans le palais.

DON MANUEL ARIAS
C'est singulier.

DON ANTONIO UBILLA, *qui s'est approché
depuis quelques instants.*
Il est de grande race, en somme.

LE COMTE DE CAMPOREAL
L'étrange, c'est qu'il veut faire son honnête homme !
À don Manuel Arias.
— Il est cousin, — aussi Santa Cruz l'a poussé, —
De ce marquis Salluste écroulé l'an passé. —
1005 Jadis, ce don César, aujourd'hui notre maître,
Était le plus grand fou que la lune eût vu naître.
C'était un drôle[1], — on sait des gens qui l'ont connu, —

---

1. *Drôle* : coquin.

Qui prit un beau matin son fonds pour revenu,
Qui changeait tous les jours de femmes, de carrosses.
1010 Et dont la fantaisie avait des dents féroces
Capables de manger en un an le Pérou.
Un jour il s'en alla, sans qu'on ait su par où.

DON MANUEL ARIAS

L'âge a du fou joyeux fait un sage fort rude.

LE COMTE DE CAMPOREAL

Toute fille de joie en séchant devient prude.

UBILLA

1015 Je le crois homme probe.

LE COMTE DE CAMPOREAL, *riant.*
                    Oh ! candide Ubilla !
Qui se laisse éblouir à ces probités-là !
D'un ton significatif.
La maison de la reine, ordinaire et civile[1],
Appuyant sur les chiffres.
Coûte par an six cent soixante-quatre mille
Soixante-six ducats ! — c'est un pactole obscur
1020 Où, certes, on doit jeter le filet à coup sûr.
Eau trouble, pêche claire.

LE MARQUIS DE PRIEGO, *survenant.*
                    Ah ça, ne vous déplaise,
Je vous trouve imprudents et parlant fort à l'aise.
Feu mon grand-père, auprès du comte-duc nourri[2],
Disait : Mordez le roi, baisez le favori. —
1025 Messieurs, occupons-nous des affaires publiques.
Tous s'asseyent autour de la table ; les uns prennent des plumes, les autres feuillettent des papiers. Du reste, oisiveté générale.

---

1. *La maison de la reine, ordinaire et civile :* les services, habituels ou particuliers, qui entourent la personne de la reine.
2. *Auprès du comte-duc nourri :* élevé auprès du comte d'Olivarès, ministre et favori du roi Philippe IV, qui gouverna l'Espagne pendant vingt ans.

Moment de silence.

MONTAZGO, bas à Ubilla.

Je vous ai demandé sur la caisse aux reliques[1]
De quoi payer l'emploi d'alcade à mon neveu.

UBILLA, bas.

Vous, vous m'aviez promis de nommer avant peu
Mon cousin Melchior d'Elva bailli de l'Èbre[2].

MONTAZGO, se récriant.

1030 Nous venons de doter votre fille. On célèbre
Encor sa noce. — On est sans relâche assailli...

UBILLA, bas.

Vous aurez votre alcade...

MONTAZGO, bas.

Et vous votre bailli.

Ils se serrent la main.

COVADENGA, se levant.

Messieurs les conseillers de Castille, il importe,
Afin qu'aucun de nous de sa sphère ne sorte,
1035 De bien régler nos droits et de faire nos parts.
Le revenu d'Espagne en cent mains est épars.
C'est un malheur public, il y faut mettre un terme.
Les uns n'ont pas assez, les autres trop. La ferme
Du tabac[3] est à vous, Ubilla. L'indigo
1040 Et le musc[4] sont à vous, marquis de Priego.
Camporeal perçoit l'impôt des huit mille hommes[5],

---

1. *La caisse aux reliques* : peut-être un impôt sur le culte des saintes reliques.
2. *Bailli de l'Èbre* : officier de justice. L'Èbre est un fleuve qui coule à Saragosse et se jette dans la Méditerranée.
3. *La ferme du tabac* : le prélèvement de l'impôt sur le tabac.
4. *L'indigo et le musc* : denrées coloniales sur lesquelles pesaient des taxes. L'indigo est un colorant ; le musc, une substance odorante.
5. *L'impôt des huit mille hommes* : il était acquitté par les Castillans pour entretenir une armée.

L'almojarifazgo[1], le sel[2], mille autres sommes,
Le quint du cent[3] de l'or, de l'ambre[4] et du jayet[5].
À Montazgo.
Vous qui me regardez de cet œil inquiet,
1045 Vous avez à vous seul, grâce à votre manège,
L'impôt sur l'arsenic[6] et le droit sur la neige[7] ;
Vous avez les ports secs[8], les cartes[9], le laiton[10],
L'amende des bourgeois qu'on punit du bâton,
La dîme de la mer[11], le plomb, le bois de rose[12] !... —
1050 Moi, je n'ai rien, messieurs. Rendez-moi quelque chose !

LE COMTE DE CAMPOREAL, *éclatant de rire.*
Oh ! le vieux diable ! il prend les profits les plus clairs.
Excepté l'Inde[13], il a les îles des deux mers[14].
Quelle envergure ! il tient Mayorque d'une griffe
Et de l'autre il s'accroche au pic de Ténériffe !

COVADENGA, *s'échauffant.*
1055 Moi, je n'ai rien !

---

1. *L'almojarifazgo* : impôt de 5 % sur toutes les marchandises transportées de l'Espagne vers les Indes (voir la note de Victor Hugo, p. 214).
2. *Le sel* : l'impôt sur le sel (appelé « gabelle » dans la France de l'Ancien Régime).
3. *Le quint du cent* : la taxe de 5 %.
4. *Ambre* : matière précieuse et aromatique.
5. *Jayet* : ou jais, matière noire et très dure dont on fait des bijoux.
6. *Arsenic* : corps simple utilisé essentiellement en médecine.
7. *La neige* : la neige utilisée dans les glacières.
8. *Ports secs* : passages en montagne où étaient perçus des droits de douane.
9. *Les cartes* : les jeux de cartes.
10. *Laiton* : alliage de cuivre et de zinc.
11. *La dîme de la mer* : impôt du dixième payé sur les marchandises venues par mer.
12. *Le bois de rose* : bois exotique et précieux employé en ébénisterie.
13. *L'Inde* : l'Amérique.
14. *Les îles des deux mers* : en Méditerranée, les Baléares (en particulier, Majorque) et, dans l'Atlantique, les Canaries (notamment Ténériffe, dominée par le pic volcanique du Teide).

LE MARQUIS DE PRIEGO, *riant.*
Il a les nègres[1] !
Tous se lèvent et parlent à la fois, se querellant.

MONTAZGO
Je devrais
Me plaindre bien plutôt. Il me faut les forêts[2] !

COVADENGA, *au marquis de Priego.*
Donnez-moi l'arsenic, je vous cède les nègres !
Depuis quelques instants, Ruy Blas est entré par la porte du fond et assiste à la scène sans être vu des interlocuteurs. Il est vêtu de velours noir, avec un manteau de velours écarlate ; il a la plume blanche au chapeau et la Toison d'or au cou. Il les écoute en silence, puis, tout à coup, il s'avance à pas lents et paraît au milieu d'eux au plus fort de la querelle.

SCÈNE 2.   *Les mêmes,* RUY BLAS.

RUY BLAS, *survenant.*
Bon appétit ! messieurs ! —
Tous se retournent. Silence de surprise et d'inquiétude. Ruy Blas se couvre, croise les bras, et poursuit en les regardant en face.
Ô ministres intègres !
Conseillers vertueux ! voilà votre façon
1060 De servir, serviteurs qui pillez la maison !
Donc vous n'avez pas honte et vous choisissez l'heure,
L'heure sombre où l'Espagne agonisante pleure !
Donc vous n'avez ici pas d'autres intérêts

---

1. *Les nègres :* les esclaves noirs transportés d'Afrique en Amérique et sur lesquels un impôt était perçu.
2. *Les forêts :* un impôt était payé sur toutes les coupes de bois.

Que d'emplir votre poche et vous enfuir après !
1065 Soyez flétris, devant votre pays qui tombe !
Fossoyeurs qui venez le voler dans sa tombe !
— Mais voyez, regardez, ayez quelque pudeur.
L'Espagne et sa vertu, l'Espagne et sa grandeur,
Tout s'en va. — Nous avons, depuis Philippe Quatre,
1070 Perdu le Portugal, le Brésil[1], sans combattre ;
En Alsace Brisach, Steinfort[2] en Luxembourg ;
Et toute la Comté[3] jusqu'au dernier faubourg ;
Le Roussillon, Ormuz[4], Goa[5], cinq mille lieues
De côte, et Fernambouc[6], et les Montagnes-Bleues[7] !
1075 Mais voyez. — Du ponant[8] jusques à l'orient,
L'Europe, qui vous hait, vous regarde en riant.
Comme si votre roi n'était plus qu'un fantôme,
La Hollande et l'Anglais[9] partagent ce royaume ;
Rome vous trompe ; il ne faut risquer qu'à demi
1080 Une armée en Piémont, quoique pays ami ;
La Savoie et son duc[10] sont pleins de précipices ;
La France, pour vous prendre, attend des jours propices.
L'Autriche aussi vous guette. Et l'infant bavarois[11]
Se meurt, vous le savez. — Quant à vos vice-rois,

---

1. *Le Portugal, le Brésil :* l'Espagne a perdu ces anciennes possessions en 1640, à la suite de la révolte du duc de Bragance.
2. *Brisach, Steinfort :* cédés à Louis XIV par le traité des Pyrénées (1659) avec le Roussillon (vers 1073).
3. *La Comté :* la Franche-Comté, cédée au traité de Nimègue (1678).
4. *Ormuz :* îles du golfe Persique.
5. *Goa :* capitale des colonies portugaises de l'Inde, perdue en même temps que le Portugal.
6. *Fernambouc :* ou Pernambouc (Recife), au Brésil, possession portugaise.
7. *Les Montagnes-Bleues :* à la Jamaïque, occupée par les Anglais en 1655.
8. *Du ponant :* de l'Occident.
9. *La Hollande et l'Anglais :* allusion au projet de partage de l'Espagne entre la Hollande, l'Angleterre et la France, conçu à La Haye en 1698.
10. *La Savoie et son duc :* Victor-Amédée II, habile à changer de parti entre la France et l'Empire, selon son intérêt.
11. *L'infant bavarois :* il avait été désigné en 1698 par Charles II comme son successeur, mais il mourut l'année suivante.

Ruy Blas (Gérard Philipe) au T.N.P. en 1954.

124

1085 Médina, fou d'amour, emplit Naples d'esclandres[1],
Vaudémont[2] vend Milan, Legañez[3] perd les Flandres.
Quel remède à cela ? — L'État est indigent ;
L'État est épuisé de troupes et d'argent ;
Nous avons sur la mer, où Dieu met ses colères,
1090 Perdu trois cents vaisseaux, sans compter les galères !
Et vous osez !... — Messieurs, en vingt ans, songez-y,
Le peuple, — j'en ai fait le compte, et c'est ainsi ! —
Portant sa charge énorme et sous laquelle il ploie,
Pour vous, pour vos plaisirs, pour vos filles de joie,
1095 Le peuple misérable, et qu'on pressure encor,
A sué quatre cent trente millions d'or !
Et ce n'est pas assez ! et vous voulez, mes maîtres !... —
Ah ! j'ai honte pour vous ! — Au dedans, routiers[4], reîtres,
Vont battant le pays et brûlant la moisson.
1100 L'escopette[5] est braquée au coin de tout buisson.
Comme si c'était peu de la guerre des princes,
Guerre entre les couvents, guerre entre les provinces,
Tous voulant dévorer leur voisin éperdu,
Morsures d'affamés sur un vaisseau perdu !
1105 Notre église en ruine est pleine de couleuvres ;
L'herbe y croît. Quant aux grands, des aïeux, mais pas
                                        [d'œuvres.
Tout se fait par intrigue et rien par loyauté.
L'Espagne est un égout où vient l'impureté
De toute nation. — Tout seigneur à ses gages[6]
1110 A cent coupe-jarrets[7] qui parlent cent langages.

---

1. *Médina ... esclandres :* le duc de Médina, grand d'Espagne et vice-roi de Naples, fit scandale en faisant rendre les honneurs à sa concubine.
1. *Vaudémont :* gouverneur du Milanais, il favorisa les Français au détriment des Espagnols.
3. *Legañez :* ancien gouverneur du Milanais, il était pro-autrichien.
4. *Routiers :* soldats d'aventure. (Pour « reîtres », voir le vers 416.)
5. *Escopette :* ou tromblon, sorte de fusil.
6. *À ses gages :* à son service.
7. *Coupe-jarrets :* tueurs.

Génois, Sardes, Flamands. Babel[1] est dans Madrid.
L'alguazil, dur au pauvre, au riche s'attendrit.
La nuit on assassine, et chacun crie : à l'aide !
— Hier on m'a volé, moi, près du pont de Tolède ! —
1115 La moitié de Madrid pille l'autre moitié.
Tous les juges vendus ; pas un soldat payé.
Anciens vainqueurs du monde, Espagnols que nous sommes,
Quelle armée avons-nous ? À peine six mille hommes.
Qui vont pieds nus. Des gueux, des juifs, des montagnards.
1120 S'habillant d'une loque et s'armant de poignards.
Aussi d'un régiment toute bande[2] se double.
Sitôt que la nuit tombe, il est une heure trouble
Où le soldat douteux se transforme en larron.
Matalobos a plus de troupes qu'un baron.
1125 Un voleur fait chez lui la guerre au roi d'Espagne.
Hélas ! les paysans qui sont dans la campagne
Insultent en passant la voiture du roi ;
Et lui, votre seigneur, plein de deuil et d'effroi,
Seul, dans l'Escurial, avec les morts qu'il foule,
1130 Courbe son front pensif sur qui l'empire croule !
— Voilà ! — L'Europe, hélas ! écrase du talon
Ce pays qui fut pourpre[3] et n'est plus que haillon !
L'État s'est ruiné dans ce siècle funeste,
Et vous vous disputez à qui prendra le reste !
1135 Ce grand peuple espagnol aux membres énervés[4],
Qui s'est couché dans l'ombre et sur qui vous vivez,
Expire dans cet antre où son sort se termine,
Triste comme un lion mangé par la vermine !
— Charles Quint[5] ! dans ces temps d'opprobre et de terreur,

---

1. *Babel* : allusion à l'épisode biblique de la tour de Babel et à la dispersion des hommes condamnés par Dieu à parler des langues diverses.
2. *Bande* : troupe de bandits.
3. *Pourpre* : couleur symbolique de la puissance impériale.
4. *Énervés* : privés de nerfs, c'est-à-dire de force.
5. *Charles Quint* : sur cet empereur, voir *Hernani* (IV, 5) et la notice historique (p. 234).

1140 Que fais-tu dans ta tombe, ô puissant empereur ?
Oh ! lève-toi ! viens voir ! — Les bons font place aux pires.
Ce royaume effrayant, fait d'un amas d'empires,
Penche... Il nous faut ton bras ! Au secours, Charles Quint !
Car l'Espagne se meurt ! car l'Espagne s'éteint !
1145 Ton globe, qui brillait dans ta droite profonde [1],
Soleil éblouissant, qui faisait croire au monde
Que le jour désormais se levait à Madrid,
Maintenant, astre mort, dans l'ombre s'amoindrit,
Lune aux trois quarts rongée et qui décroît encore,
1150 Et que d'un autre peuple [2] effacera l'aurore !
Hélas ! ton héritage est en proie aux vendeurs.
Tes rayons, ils en font des piastres ! — Tes splendeurs,
On les souille ! — Ô géant ! se peut-il que tu dormes ? —
On vend ton sceptre au poids ! Un tas de nains difformes
1155 Se taillent des pourpoints dans ton manteau de roi ;
Et l'aigle impérial, qui, jadis, sous ta loi,
Couvrait le monde entier de tonnerre et de flamme,
Cuit, pauvre oiseau plumé, dans leur marmite infâme !

*Les conseillers se taisent consternés. Seuls, le marquis de Priego et le
comte de Camporeal redressent la tête et regardent Ruy Blas avec colère.
Puis Camporeal, après avoir parlé à Priego, va à la table, écrit quelques
mots sur un papier, les signe et les fait signer au marquis.*

LE COMTE DE CAMPOREAL, *désignant le marquis de Priego
et remettant le papier à Ruy Blas.*

Monsieur le duc, — au nom de tous les deux, — voici
1160 Notre démission de notre emploi.

RUY BLAS, *prenant le papier, froidement.*
Merci.
Vous vous retirerez, avec votre famille,
À Priego.

---

1. Le globe, emblème du pouvoir impérial, était tenu dans la main droite.
2. *Un autre peuple* : il s'agit probablement de l'Angleterre, dont la puissance va
s'affirmer sur terre et sur mer au siècle suivant.

Vous, en Andalousie, —
À Camporeal.

                          Et vous, comte, en Castille.
Chacun dans vos États. Soyez partis demain.
Les deux seigneurs s'inclinent et sortent fièrement le chapeau sur la tête.
Ruy Blas se tourne vers les autres conseillers.
Quiconque ne veut pas marcher dans mon chemin
1165 Peut suivre ces messieurs.
Silence dans les assistants. Ruy Blas s'assied à la table sur une chaise
à dossier placée à droite du fauteuil royal, et s'occupe à décacheter
une correspondance. Pendant qu'il parcourt les lettres l'une après
l'autre, Covadenga, Arias et Ubilla échangent quelques paroles à voix
basse.

            UBILLA, *à Covadenga, montrant Ruy Blas.*
Fils[1], nous avons un maître.
Cet homme sera grand.

                  DON MANUEL ARIAS
                      Oui, s'il a le temps d'être.

                      COVADENGA
Et s'il ne se perd pas à tout voir de trop près.

                        UBILLA
Il sera Richelieu[2] !

                  DON MANUEL ARIAS
                  S'il n'est Olivarès[3] !

            RUY BLAS, *après avoir parcouru vivement une lettre*
                      qu'il vient d'ouvrir.
Un complot ! Qu'est-ce ceci ? Messieurs, que vous disais-je ?
Lisant.
1170 — ... « Duc d'Olmedo, veillez. Il se prépare un piège

---

1. *Fils* : terme familier adressé par le vieil Ubilla à un conseiller moins âgé.
2. *Richelieu* : cardinal, célèbre ministre de Louis XIII (1585-1642).
3. *Olivarès* : voir note du vers 1023 ; Olivarès (1587-1645) fut l'adversaire de Richelieu pendant la guerre de Trente Ans entre la France et l'Espagne.

Pour enlever quelqu'un de très grand de Madrid. »
Examinant la lettre.
— On ne nomme pas qui. Je veillerai. — L'écrit
Est anonyme. —
Entre un huissier de cour qui s'approche de Ruy Blas avec une profonde révérence.

Allons ! qu'est-ce ?

L'HUISSIER
À votre excellence
J'annonce monseigneur l'ambassadeur de France.

RUY BLAS
1175 Ah ! d'Harcourt[1] ! Je ne puis à présent.

L'HUISSIER, *s'inclinant.*
Monseigneur,
Le nonce impérial[2] dans la chambre d'honneur
Attend votre excellence.

RUY BLAS
À cette heure ? Impossible.
L'huissier s'incline et sort. Depuis quelques instants, un page est entré, vêtu d'une livrée couleur de feu à galons d'argent, et s'est approché de Ruy Blas.

RUY BLAS, *l'apercevant.*
Mon page ! je ne suis pour personne visible.

LE PAGE, *bas.*
Le comte Guritan, qui revient de Neubourg...

RUY BLAS, *avec un geste de surprise.*
1180 Ah ! — Page, enseigne-lui ma maison du faubourg.
Qu'il m'y vienne trouver demain, si bon lui semble.
Va.

---

1. *D'Harcourt* : le duc d'Harcourt (1654-1718) fut nommé en 1697 ambassadeur à Madrid où il servit les intérêts du duc d'Anjou, petit-fils de Louis XIV, pour la succession de Charles II.
2. *Le nonce impérial* : l'ambassadeur de l'empereur.

Le page sort. Aux conseillers.
    Nous aurons tantôt à travailler ensemble.
Dans deux heures. Messieurs, revenez.
Tous sortent en saluant profondément Ruy Blas.
Ruy Blas, resté seul, fait quelques pas en proie à une rêverie profonde.
Tout à coup, à l'angle du salon, la tapisserie s'écarte et la reine
apparaît. Elle est vêtue de blanc avec la couronne en tête ; elle paraît
rayonnante de joie et fixe sur Ruy Blas un regard d'admiration et de
respect. Elle soutient d'un bras la tapisserie, derrière laquelle on
entrevoit une sorte de cabinet obscur où l'on distingue une petite porte.
Ruy Blas, en se retournant, aperçoit la reine et reste comme pétrifié
devant cette apparition.

Acte III Scènes 1 et 2

L'acte II est essentiellement consacré à l'intrigue amoureuse entre la reine et Ruy Blas. L'acte III s'ouvre, en revanche, sur des scènes politiques : le spectateur assiste à un conseil des ministres. Deux conceptions des affaires publiques s'y affrontent : celle de Ruy Blas et celle des grands.

LE FESTIN DES GRANDS

1. Comment Hugo nous renseigne-t-il sur ce qui est advenu de Ruy Blas entre l'acte II et l'acte III ? Quels sentiments les membres du conseil expriment-ils à son égard ? Pourquoi le nom de don César n'est-il pas immédiatement prononcé ?

2. Au vers 1025, le marquis de Priego déclare : « Messieurs, occupons-nous des affaires publiques. » Quel est, en réalité, l'objet de la dispute des nobles conseillers ? Relevez les termes relatifs à l'argent et à la propriété, et indiquez quelle est la principale critique contenue dans cette satire des mœurs de la cour.

3. Expliquez l'ironie et la métaphore du vers 1058. Par quelles autres images du discours de Ruy Blas sont-elles confirmées ?

4. L'arrivée de Ruy Blas est un coup de théâtre. Recherchez dans le premier acte une entrée en scène comparable. Montrez les points communs et les différences avec celle de Ruy Blas.

CÉSAR OU TRIBUN

La signification politique de Ruy Blas homme d'État n'est pas simple à démêler : le laquais, devenu favori de la reine, parle sous le masque de don César, un grand d'Espagne. Si Ruy Blas est le représentant, le tribun du peuple (voir la Préface), son discours est plus moral que politique. Mais le principal intérêt du personnage est peut-être justement ce rêve de réconciliation de la politique, de la vérité et de la justice qu'il exprime.

5. Quels passages de la tirade de Ruy Blas (v. 1058 à 1158) montrent qu'il pense aux intérêts du peuple et qu'il s'exprime au nom de celui-ci ? Par quelles métaphores témoigne-t-il de ses conditions de vie ? Ces métaphores sont-elles mélioratives (voir p. 260) ou péjoratives ? Citez le texte à l'appui de votre réponse.

131

6. On ne peut entendre la tirade de Ruy Blas sans penser aux orateurs de la Révolution française : Mirabeau, Danton, Saint-Just, Robespierre... Définissez l'éloquence du tribun : comment Ruy Blas prend-il à partie son auditoire et soutient-il son attention ? Examinez en particulier les apostrophes, les interrogations oratoires et les exclamations. Commentez l'emploi et la valeur des « vous » et des « nous ». En considérant la totalité de la scène 2, vous vous demanderez si Ruy Blas est seulement un homme de paroles.

7. Dans ce morceau de bravoure, la prosopopée (voir p. 261) de Charles Quint tient lieu de péroraison (de conclusion) : en quoi illustre-t-elle le projet présenté par Hugo dans les dernières lignes de sa préface (voir p. 32) ? Comparez la tirade de Ruy Blas et celle de Charles Quint dans *Hernani* (IV, 2) où l'on rencontre la célèbre prosopopée de Charlemagne.

GRANDEUR ET DÉCADENCE DE L'ESPAGNE

En cent jours, Napoléon voulut reconquérir un empire. En cent vers, Ruy Blas décrit l'effondrement de celui de l'Espagne au XVIIe siècle. Ce tableau historique est aussi une vision poétique. L'auteur des *Châtiments* mêle un souffle d'épopée (voir p. 258) au récit d'une chute. La « fonction du poète » est autant de rêver l'histoire que de la raconter. Ce rêve est ici un cauchemar.

8. Établissez le plan précis de la tirade de Ruy Blas en montrant comment se précise le thème de la décadence, c'est-à-dire comment s'opposent grandeur passée et misère présente.

9. Relevez les métaphores décrivant l'Espagne. Quelle est celle qui vous paraît la plus évocatrice ? Laquelle est la plus surprenante ? Commentez le rejet du vers 1143.

10. Étudiez les procédés du style épique dans cette tirade et en particulier l'emploi des hyperboles, des personnifications, des allégories, des fortes antithèses, de l'accumulation. En quoi l'évocation des noms de lieux et de pays contribue-t-elle à ce style ?

SCÈNE 3. RUY BLAS, LA REINE.

LA REINE, *du fond du théâtre.*

Oh ! merci !

RUY BLAS

Ciel !

LA REINE

Vous avez bien fait de leur parler ainsi.
1185 Je n'y puis résister, duc, il faut que je serre
Cette loyale main si ferme et si sincère !
*Elle marche vivement à lui et lui prend la main, qu'elle presse avant
qu'il ait pu s'en défendre.*

RUY BLAS

À part.
La fuir depuis six mois et la voir tout à coup.
Haut.
Vous étiez là, madame ?...

LA REINE

Oui, duc, j'entendais tout.
J'étais là. J'écoutais avec toute mon âme !

RUY BLAS, *montrant la cachette.*

1190 Je ne soupçonnais pas... — Ce cabinet, madame...

LA REINE

Personne ne le sait. C'est un réduit obscur
Que don Philippe Trois[1] fit creuser dans ce mur,
D'où le maître invisible entend tout comme une ombre.
Là j'ai vu bien souvent Charles Deux, morne et sombre,
1195 Assister aux conseils où l'on pillait son bien,
Où l'on vendait l'État.

RUY BLAS

Et que disait-il ?

---

1. *Philippe III* : roi d'Espagne de 1598 à 1621, grand-père de Charles II.

LA REINE

Rien.

RUY BLAS

Rien ? — et que faisait-il ?

LA REINE

Il allait à la chasse.
Mais vous ! j'entends encor votre accent qui menace.
Comme vous les traitiez d'une haute façon,
1200 Et comme vous aviez superbement raison !
Je soulevais le bord de la tapisserie,
Je vous voyais. Votre œil, irrité sans furie,
Les foudroyait d'éclairs, et vous leur disiez tout.
Vous me sembliez seul être resté debout !
1205 Mais où donc avez-vous appris toutes ces choses ?
D'où vient que vous savez les effets et les causes ?
Vous n'ignorez donc rien ? D'où vient que votre voix
Parlait comme devrait parler celle des rois ?
Pourquoi donc étiez-vous, comme eût été Dieu même,
1210 Si terrible et si grand ?

RUY BLAS

Parce que je vous aime !
Parce que je sens bien, moi qu'ils haïssent tous,
Que ce qu'ils font crouler s'écroulera sur vous !
Parce que rien n'effraie une ardeur si profonde,
Et que pour vous sauver je sauverais le monde !
1215 Je suis un malheureux qui vous aime d'amour.
Hélas ! je pense à vous comme l'aveugle au jour.
Madame, écoutez-moi. J'ai des rêves sans nombre.
Je vous aime de loin, d'en bas, du fond de l'ombre ;
Je n'oserais toucher le bout de votre doigt.
1220 Et vous m'éblouissez comme un ange qu'on voit !
— Vraiment, j'ai bien souffert. Si vous saviez, madame !
Je vous parle à présent. Six mois, cachant ma flamme,
J'ai fui. Je vous fuyais et je souffrais beaucoup.
Je ne m'occupe pas de ces hommes du tout,
1225 Je vous aime. — Ô mon Dieu, j'ose le dire en face
À votre majesté. Que faut-il que je fasse ?

Si vous me disiez : meurs ! je mourrais. J'ai l'effroi
Dans le cœur. Pardonnez !

LA REINE

Oh ! parle ! ravis-moi !
Jamais on ne m'a dit ces choses-là. J'écoute !
1230 Ton âme en me parlant me bouleverse toute.
J'ai besoin de tes yeux, j'ai besoin de ta voix.
Oh ! c'est moi qui souffrais ! Si tu savais ! cent fois,
Cent fois, depuis six mois que ton regard m'évite...
— Mais non, je ne dois pas dire cela si vite.
1235 Je suis bien malheureuse. Oh ! je me tais, j'ai peur !

Ruy Blas (G. Philipe) et la reine (C. Minazzoli) au T.N.P., en 1954.

RUY BLAS,
qui l'écoute avec ravissement.

Oh ! madame, achevez ! vous m'emplissez le cœur !

LA REINE

Eh bien, écoute donc !
Levant les yeux au ciel.

            — Oui, je vais tout lui dire.
Est-ce un crime ? Tant pis ! Quand le cœur se déchire,
Il faut bien laisser voir tout ce qu'on y cachait. —
1240 Tu fuis la reine ? Eh bien, la reine te cherchait !
Tous les jours je viens là, — là, dans cette retraite, —
T'écoutant, recueillant ce que tu dis, muette,
Contemplant ton esprit qui veut, juge et résout,
Et prise par ta voix qui m'intéresse à tout.
1245 Va, tu me sembles bien le vrai roi, le vrai maître.
C'est moi, depuis six mois, tu t'en doutes peut-être,
Qui t'ai fait, par degrés, monter jusqu'au sommet.
Où Dieu t'aurait dû mettre une femme te met.
Oui, tout ce qui me touche a tes soins. Je t'admire.
1250 Autrefois une fleur, à présent un empire !
D'abord je t'ai vu bon, et puis je te vois grand.
Mon Dieu ! c'est à cela qu'une femme se prend !
Mon Dieu ! si je fais mal, pourquoi, dans cette tombe
M'enfermer, comme on met en cage une colombe,
1255 Sans espoir, sans amour, sans un rayon doré ?
— Un jour que nous aurons le temps, je te dirai
Tout ce que j'ai souffert. — Toujours seule, oubliée.
Et puis, à chaque instant, je suis humiliée.
Tiens, juge : hier encore... — Ma chambre me déplaît.
1260 — Tu dois savoir cela, toi qui sais tout, il est
Des chambres où l'on est plus triste que dans d'autres ; —
J'en ai voulu changer. Vois quels fers sont les nôtres !
On ne l'a pas voulu. Je suis esclave ainsi ! —
Duc, il faut, — dans ce but le ciel t'envoie ici, —
1265 Sauver l'État qui tremble, et retirer du gouffre
Le peuple qui travaille, et m'aimer, moi qui souffre.
Je te dis tout cela sans suite, à ma façon,
Mais tu dois cependant voir que j'ai bien raison.

RUY BLAS, *tombant à genoux.*

Madame...

LA REINE, *gravement.*
            Don César, je vous donne mon âme.
1270 Reine pour tous, pour vous je ne suis qu'une femme.
Par l'amour, par le cœur, duc, je vous appartien[1].
J'ai foi dans votre honneur pour respecter le mien.
Quand vous m'appellerez, je viendrai. Je suis prête.
— Ô César ! un esprit sublime est dans ta tête.
1275 Sois fier, car le génie est ta courone, à toi !
Elle baise Ruy Blas au front.
Adieu.
Elle soulève la tapisserie et disparaît.

SCÈNE 4.   RUY BLAS, *seul.*

Il est comme absorbé dans une contemplation angélique.
            Devant mes yeux c'est le ciel que je voi[2] !
De ma vie, ô mon Dieu ! cette heure est la première.
Devant moi tout un monde, un monde de lumière,
Comme ces paradis qu'en songe nous voyons,
1280 S'entr'ouvre en m'inondant de vie et de rayons !
Partout, en moi, hors moi, joie, extase et mystère,
Et l'ivresse, et l'orgueil, et ce qui sur la terre
Se rapproche le plus de la divinité,
L'amour dans la puissance et dans la majesté !
1285 La reine m'aime ! ô Dieu ! c'est bien vrai, c'est moi-même.
Je suis plus que le roi puisque la reine m'aime !
Oh ! cela m'éblouit. Heureux, aimé, vainqueur !
Duc d'Olmedo, — l'Espagne à mes pieds, — j'ai son cœur !

---

1. *Je vous appartien* : licence orthographique, pour la rime.
2. *Je voi* : licence poétique.

Cet ange qu'à genoux je contemple et je nomme,
1290 D'un mot me transfigure et me fait plus qu'un homme.
Donc je marche vivant dans mon rêve étoilé !
Oh ! oui, j'en suis bien sûr, elle m'a bien parlé.
C'est bien elle. Elle avait un petit diadème
En dentelle d'argent. Et je regardais même
1295 Pendant qu'elle parlait, — je crois la voir encor, —
Un aigle ciselé sur son bracelet d'or.
Elle se fie à moi, m'a-t-elle dit. — Pauvre ange !
Oh ! s'il est vrai que Dieu, par un prodige étrange,
En nous donnant l'amour, voulut mêler en nous
1300 Ce qui fait l'homme grand à ce qui le fait doux,
Moi, qui ne crains plus rien maintenant qu'elle m'aime,
Moi, qui suis tout-puissant, grâce à son choix suprême,
Moi, dont le cœur gonflé ferait envie aux rois,
Devant Dieu qui m'entend, sans peur, à haute voix,
1305 Je le dis, vous pouvez vous confier, madame,
À mon bras comme reine, à mon cœur comme femme !
Le dévoûment[1] se cache au fond de mon amour
Pur et loyal ! — Allez, ne craignez rien ! —

*Depuis quelques instants, un homme est entré par la porte du fond,
enveloppé d'un grand manteau, coiffé d'un chapeau galonné d'argent. Il
s'est avancé lentement vers Ruy Blas sans être vu, et, au moment où Ruy
Blas, ivre d'extase et de bonheur, lève les yeux au ciel, cet homme lui
pose brusquement la main sur l'épaule. Ruy Blas se retourne comme
réveillé subitement. L'homme laisse tomber son manteau, et Ruy Blas
reconnaît don Salluste. Don Salluste est vêtu d'une livrée couleur de feu
à galons d'argent, pareille à celle du page de Ruy Blas.*

---

1. *Dévoûment* : on écrirait aujourd'hui « dévouement ».

Acte III Scènes 3 et 4

L'ÉCHANGE DES CŒURS

1. En quoi la scène 3 donne-t-elle un éclairage nouveau à la scène précédente ? En quoi s'en distingue-t-elle ? Montrez que c'est le regard de la reine autant que ses paroles qui assurent la transition entre ces scènes.

2. Au cours de la scène 3, Ruy Blas et la reine s'avouent leur amour ; comparez ces aveux. Quels engagements prennent-ils l'un et l'autre ? Dans quelle mesure leur rang social influence-t-il l'expression de leurs sentiments ?

3. Au vers 1267, la reine déclare : « Je te dis tout cela sans suite, à ma façon. » Définissez les caractères du lyrisme dans les tirades de la reine et dites en quoi ils contribuent à un savant désordre.

Comment est soulignée l'opposition entre le secret des cœurs et sa révélation dans les discours de Ruy Blas et de la reine ?

RÊVERiE SUR LES SOMMETS

4. Quelles « visions » donnent à la tirade de Ruy Blas (v. 1276 à 1308) le caractère d'une rêverie ?

5. En quoi peut-on dire que cette scène 4 marque le sommet de la vie de Ruy Blas ? Relevez et étudiez les images de l'élévation, de l'exaltation et de la puissance et les marques de la première personne du singulier. Définissez le rythme des vers 1298 à 1306.

SCÈNE 5.   RUY BLAS, DON SALLUSTE.

DON SALLUSTE, *posant la main sur l'épaule de Ruy Blas.*
>> Bonjour.

RUY BLAS, effaré.

À part.
Grand Dieu ! je suis perdu ! le marquis !

DON SALLUSTE, souriant.

>> Je parie
1310 Que vous ne pensiez pas à moi.

RUY BLAS

>> Sa seigneurie
En effet, me surprend.
À part.

>> Oh ! mon malheur renaît,
J'étais tourné vers l'ange et le démon venait.
*Il court à la tapisserie qui cache le cabinet secret, et en ferme la petite
porte au verrou ; puis il revient tout tremblant vers don Salluste.*

DON SALLUSTE

Eh bien ! comment cela va-t-il ?

RUY BLAS, l'œil fixé sur don Salluste impassible,
pouvant à peine rassembler ses idées.

>> Cette livrée ?...

DON SALLUSTE, souriant toujours.

Il fallait du palais me procurer l'entrée.
1315 Avec cet habit-là l'on arrive partout.
J'ai pris votre livrée et la trouve à mon goût.
Il se couvre. Ruy Blas reste tête nue.

RUY BLAS

Mais j'ai peur pour vous...

DON SALLUSTE

>> Peur ! Quel est ce mot risible ?

140

RUY BLAS

Vous êtes exilé ?

DON SALLUSTE

Croyez-vous ? C'est possible.

RUY BLAS

Si l'on vous reconnaît, au palais, en plein jour ?

DON SALLUSTE

1320 Ah bah ! des gens heureux, qui sont des gens de cour,
Iraient perdre leur temps, ce temps qui sitôt passe,
À se ressouvenir d'un visage en disgrâce !
D'ailleurs, regarde-t-on le profil d'un valet ?
Il s'assied dans un fauteuil, et Ruy Blas reste debout.
À propos, que dit-on à Madrid, s'il vous plaît ?
1325 Est-il vrai que, brûlant d'un zèle hyperbolique[1],
Ici, pour les beaux yeux de la caisse publique,
Vous exilez ce cher Priego, l'un des grands ?
Vous avez oublié que vous êtes parents.
Sa mère est Sandoval, la vôtre aussi. Que diable !
1330 Sandoval porte d'or à la bande de sable[2].
Regardez vos blasons, don César. C'est fort clair.
Cela ne se fait pas entre parents, mon cher.
Les loups pour nuire aux loups font-ils les bons apôtres ?
Ouvrez les yeux pour vous, fermez-les pour les autres.
1335 Chacun pour soi.

RUY BLAS, *se rassurant un peu.*

Pourtant, monsieur, permettez-moi.
Monsieur de Priego, comme noble du roi[3],
A grand tort d'aggraver les charges de l'Espagne.
Or, il va falloir mettre une armée en campagne ;
Nous n'avons pas d'argent, et pourtant il le faut.

---

1. *Hyperbolique* : exagéré. Le mot est ici ironique.
2. Le blason de Sandoval a une bande de couleur noire, selon la terminologie de l'héraldique.
3. *Noble du roi* : grand d'Espagne.

141

1340 L'héritier bavarois penche à mourir bientôt.
Hier, le comte d'Harrach[1], que vous devez connaître,
Me le disait au nom de l'empereur son maître.
Si monsieur l'archiduc veut soutenir son droit,
La guerre éclatera[2]...

DON SALLUSTE
L'air me semble un peu froid.
1345 Faites-moi le plaisir de fermer la croisée.
Ruy Blas, pâle de honte et de désespoir, hésite un moment ; puis il fait un effort et se dirige lentement vers la fenêtre, la ferme, et revient vers don Salluste, qui, assis dans le fauteuil, le suit des yeux d'un air indifférent.

RUY BLAS, *reprenant et essayant de convaincre don Salluste.*
Daignez voir à quel point la guerre est malaisée.
Que faire sans argent ? Excellence, écoutez.
Le salut de l'Espagne est dans nos probités.
Pour moi, j'ai, comme si notre armée était prête,
1350 Fait dire à l'empereur que je lui tiendrais tête...

DON SALLUSTE, *interrompant Ruy Blas et lui montrant son mouchoir, qu'il a laissé tomber en entrant.*
Pardon ! ramassez-moi mon mouchoir.
Ruy Blas, comme à la torture, hésite, puis se baisse, ramasse le mouchoir, et le présente à don Salluste.

DON SALLUSTE, *mettant le mouchoir dans sa poche.*
— Vous disiez ?...

RUY BLAS, *avec effort.*
Le salut de l'Espagne ! — oui, l'Espagne à nos pieds,
Et l'intérêt public demandent qu'on s'oublie.
Ah ! toute nation bénit qui la délie.
1355 Sauvons ce peuple ! Osons être grands, et frappons !
Ôtons l'ombre à l'intrigue et le masque aux fripons !

---

1. *Le comte d'Harrach :* le nonce impérial (voir le vers 1176).
2. *La guerre éclatera :* Ruy Blas prévoit la guerre de la Succession d'Espagne qui oppose au début du XVIIIe siècle les prétendants au trône du défunt Charles II.

DON SALLUSTE, *nonchalamment.*

Et d'abord ce n'est pas de bonne compagnie. —
Cela sent son pédant et son petit génie
Que de faire sur tout un bruit démesuré.
1360 Un méchant million, plus ou moins dévoré,
Voilà-t-il pas de quoi pousser des cris sinistres !
Mon cher, les grands seigneurs ne sont pas de vos cuistres[1].
Ils vivent largement. Je parle sans phébus[2].
Le bel air que celui d'un redresseur d'abus
1365 Toujours bouffi d'orgueil et rouge de colère !
Mais bah ! vous voulez être un gaillard populaire,
Adoré des bourgeois et des marchands d'esteufs[3].
C'est fort drôle. Ayez donc des caprices plus neufs.
Les intérêts publics ? Songez d'abord aux vôtres.
1370 Le salut de l'Espagne est un mot creux que d'autres
Feront sonner, mon cher, tout aussi bien que vous.
La popularité ? c'est la gloire en gros sous.
Rôder, dogue aboyant, tout autour des gabelles[4] ?
Charmant métier ! je sais des postures plus belles.
1375 Vertu ? foi ? probité ? c'est du clinquant déteint.
C'était usé déjà du temps de Charles Quint.
Vous n'êtes pas un sot ; faut-il qu'on vous guérisse
Du pathos[5] ? Vous tétiez encor[6] votre nourrice,
Que nous autres déjà, nous avions sans pitié,
1380 Gaiement, à coups d'épingle ou bien à coups de pié[7],
Crevant votre ballon au milieu des risées,
Fait sortir tout le vent de ces billevesées[8] !

---

1. *Cuistres :* pédants et ridicules donneurs de leçon.
2. *Sans phébus :* sans complication et sans affectation précieuse.
3. *Esteufs :* balles du jeu de paume.
4. *Gabelles :* impôts, ici au sens de deniers publics.
5. *Pathos :* discours visant à émouvoir.
6. *Encor :* licence orthographique admise par l'alexandrin.
7. *Pié :* ancienne orthographe utilisée pour la rime.
8. *Billevesées :* paroles vides de sens (étymologiquement « gonflées de vent »).

Ruy Blas

Mais pourtant, monseigneur...

Don Salluste, *avec un sourire glacé.*

Vous êtes étonnant.

Occupons-nous d'objets sérieux, maintenant.

D'un ton bref et impérieux.

1385 — Vous m'attendrez demain toute la matinée,
Chez vous, dans la maison que je vous ai donnée.
La chose que je fais touche à l'événement.
Gardez pour nous servir les muets seulement.
Ayez dans le jardin, caché sous le feuillage,
1390 Un carrosse attelé, tout prêt pour un voyage.
J'aurai soin des relais. Faites tout à mon gré.
— Il vous faut de l'argent, je vous en enverrai. —

Ruy Blas

Monsieur, j'obéirai. Je consens à tout faire.
Mais jurez-moi d'abord qu'en toute cette affaire
1395 La Reine n'est pour rien.

Don Salluste, *qui jouait avec un couteau d'ivoire sur la table, se retourne à demi.*

De quoi vous mêlez-vous ?

Ruy Blas, *chancelant et le regardant avec épouvante.*

Oh ! vous êtes un homme effrayant. Mes genoux
Tremblent... Vous m'entraînez vers un gouffre invisible.
Oh ! je sens que je suis dans une main terrible !
Vous avez des projets monstrueux. J'entrevoi[1]
1400 Quelque chose d'horrible... — Ayez pitié de moi.
Il faut que je vous dise, — hélas ! jugez vous-même ! —
Vous ne le saviez pas ! cette femme, je l'aime !

Don Salluste, *froidement.*

Mais si. Je le savais.

---

1. *J'entrevoi :* licence poétique.

RUY BLAS
Vous le saviez !

DON SALLUSTE
Pardieu !

Qu'est-ce que cela fait ?

RUY BLAS, *s'appuyant au mur pour ne pas tomber,*
et comme se parlant à lui-même.
Donc il s'est fait un jeu,
1405 Le lâche, d'essayer sur moi cette torture !
Mais c'est que ce serait une affreuse aventure !
Il lève les yeux au ciel.
Seigneur Dieu tout-puissant ! Mon Dieu qui m'éprouvez,
Épargnez-moi, Seigneur !

DON SALLUSTE
Ah ça, mais — vous rêvez !
Vraiment ! vous vous prenez au sérieux, mon maître.
1410 C'est bouffon. Vers un but que seul je dois connaître,
But plus heureux pour vous que vous ne le pensez,
J'avance. Tenez-vous tranquille. Obéissez.
Je vous l'ai déjà dit et je vous le répète,
Je veux votre bonheur. Marchez, la chose est faite.
1415 Puis, grand'chose après tout que des chagrins d'amour !
Nous passons tous par là. C'est l'affaire d'un jour.
Savez-vous qu'il s'agit du destin d'un empire ?
Qu'est le vôtre à côté ? Je veux bien tout vous dire,
Mais ayez le bon sens de comprendre aussi, vous.
1420 Soyez de votre état. Je suis très-bon, très-doux,
Mais, que diable ! un laquais, d'argile humble ou choisie,
N'est qu'un vase où je veux verser ma fantaisie.
De vous autres, mon cher, on fait tout ce qu'on veut.
Votre maître, selon le dessein qui l'émeut,
1425 À son gré vous déguise, à son gré vous démasque.
Je vous ai fait seigneur. C'est un rôle fantasque,
— Pour l'instant. — Vous avez l'habillement complet.
Mais, ne l'oubliez pas, vous êtes mon valet.
Vous courtisez la reine ici par aventure,
1430 Comme vous monteriez derrière ma voiture.
Soyez donc raisonnable.

RUY BLAS, *qui l'a écouté avec égarement*
et comme ne pouvant en croire ses oreilles.

Ô mon Dieu ! — Dieu clément !
Dieu juste ! de quel crime est-ce le châtiment ?
Qu'est-ce donc que j'ai fait ? Vous êtes notre père,
Et vous ne voulez pas qu'un homme désespère !
1435 Voilà donc où j'en suis ! — et, volontairement,
Et sans tort de ma part, — pour voir, — uniquement
Pour voir agoniser une pauvre victime,
Monseigneur, vous m'avez plongé dans cet abîme.
Tordre un malheureux cœur plein d'amour et de foi,
1440 Afin d'en exprimer la vengeance pour soi !
Se parlant à lui-même.
Car c'est une vengeance ! oui, la chose est certaine !
Et je devine bien que c'est contre la reine !
Qu'est-ce que je vais faire ? Aller lui dire tout ?
Ciel ! devenir pour elle un objet de dégoût
1445 Et d'horreur ! un Crispin[1] ! un fourbe à double face !
Un effronté coquin qu'on bâtonne et qu'on chasse !
Jamais ! — Je deviens fou, ma raison se confond !
Une pause. Il rêve.
Ô mon Dieu ! voilà donc les choses qui se font !
Bâtir une machine effroyable dans l'ombre,
1450 L'armer hideusement de rouages sans nombre,
Puis, sous la meule, afin de voir comment elle est,
Jeter une livrée, une chose, un valet,
Puis la faire mouvoir, et soudain sous la roue
Voir sortir des lambeaux teints de sang et de boue,
1455 Une tête brisée, un cœur tiède et fumant,
Et ne pas frissonner alors qu'en ce moment
On reconnaît, malgré le mot dont on le nomme,
Que ce laquais était l'enveloppe d'un homme !
Se tournant vers don Salluste.
Mais il est temps encore ! oh ! monseigneur, vraiment !
1460 L'horrible roue encor n'est pas en mouvement !

---

1. *Crispin :* nom traditionnel du valet de comédie.

146

Il se jette à ses pieds.
Ayez pitié de moi ! grâce ! ayez pitié d'elle !
Vous savez que je suis un serviteur fidèle.
Vous l'avez dit souvent ! Voyez je me soumets !
Grâce !

DON SALLUSTE
Cet homme-là ne comprendra jamais.
1465 C'est impatientant.

RUY BLAS, *se traînant à ses pieds.*
Grâce !

DON SALLUSTE
Abrégeons, mon maître.
Il se tourne vers la fenêtre.
Gageons que vous avez mal fermé la fenêtre.
Il vient un froid par là !
Il va à la croisée et la ferme.

RUY BLAS, *se relevant.*
Oh ! c'est trop ! À présent
Je suis duc d'Olmedo, ministre tout-puissant !
Je relève le front sous le pied qui m'écrase.

DON SALLUSTE
1470 Comment dit-il cela ? Répétez donc la phrase.
Ruy Blas, duc d'Olmedo ? Vos yeux ont un bandeau.
Ce n'est que sur Bazan qu'on a mis Olmedo.

RUY BLAS
Je vous fais arrêter.

DON SALLUSTE
Je dirai qui vous êtes.

RUY BLAS, *exaspéré.*
Mais...

DON SALLUSTE
Vous m'accuserez ? J'ai risqué nos deux têtes.
1475 C'est prévu. Vous prenez trop tôt l'air triomphant.

RUY BLAS

Je nierai tout !

DON SALLUSTE

Allons ! vous êtes un enfant.

RUY BLAS

Vous n'avez pas de preuve !

DON SALLUSTE

Et vous pas de mémoire.
Je fais ce que je dis, et vous pouvez m'en croire.
Vous n'êtes que le gant, et moi, je suis la main.
Bas et se rapprochant de Ruy Blas.
1480 Si tu n'obéis pas, si tu n'es pas demain
Chez toi, pour préparer ce qu'il faut que je fasse,
Si tu dis un seul mot de tout ce qui se passe,
Si tes yeux, si ton geste en laissent rien percer,
Celle pour qui tu crains, d'abord, pour commencer,
1485 Par ta folle aventure, en cent lieux répandue,
Sera publiquement diffamée et perdue.
Puis elle recevra, ceci n'a rien d'obscur,
Sous cachet, un papier, que je garde en lieu sûr,
Écrit, te souvient-il avec quelle écriture ?
1490 Signé, tu dois savoir de quelle signature ?
Voici ce que ses yeux y liront : « Moi Ruy Blas,
Laquais de monseigneur le marquis de Finlas,
En toute occasion, ou secrète, ou publique,
M'engage à le servir comme un bon domestique. »

RUY BLAS, *brisé et d'une voix éteinte.*

1495 Il suffit. — Je ferai, monsieur, ce qu'il vous plaît.
La porte du fond s'ouvre. On voit rentrer les conseillers du conseil privé.
Don Salluste s'enveloppe vivement de son manteau.

DON SALLUSTE, *bas.*

On vient.
Il salue profondément Ruy Blas. Haut.
Monsieur le duc, je suis votre valet.
Il sort.

148

Acte III Scène 5

RUY BLAS, OU LA FATALITÉ DE L'ÉCHEC

1. L'apparition de don Salluste est exactement symétrique à celle de la reine (III, 3) : dans quel vers et par quelle image Ruy Blas met-il en relation ces deux coups de théâtre et ces deux événements essentiels de sa destinée ?

2. La trajectoire de Ruy Blas était jusqu'à cette scène ascendante : en quoi peut-on parler ici de renversement de situation ? Comment Ruy Blas exprime-t-il le sentiment d'une terrible fatalité ? Quelles images la symbolisent ? Peut-on parler d'une révolte du héros face à son destin ? Pourquoi s'y résigne-t-il finalement ? Est-ce un signe de raison (v. 1431) ou de folie (v. 1447) ?

LA MAIN ET LE GANT

3. Le vers 1479 (« Vous n'êtes que le gant, et moi, je suis la main ») résume la relation de pouvoir entre don Salluste et Ruy Blas. Montrez que cette image illustre également la stratégie du secret utilisée par don Salluste.

4. Quelles sont les fonctions du déguisement d'après cette scène ? (Distinguez le déguisement de Salluste et celui de Ruy Blas.) Montrez que l'écart se creuse chez le héros entre son être et son rôle social (v. 1444 à 1458).

5. Résumez les principales étapes de la lutte entre don Salluste et Ruy Blas au cours de cette scène. Confrontez en particulier les vers 1335 et 1353 et montrez que les deux hommes incarnent deux conceptions de la politique complètement opposées. En quoi l'apparition de don Salluste au moment où Ruy Blas entreprend de reformer la société est-elle hautement significative ?

6. En examinant les indications scéniques et le texte prononcé, vous montrerez que le principal ressort dramatique de la scène est l'humiliation de Ruy Blas. Relevez quelques exemples de l'ironie sarcastique de don Salluste et quelques illustrations de son mépris pour le peuple. Quelles métaphores sont utilisées pour peindre la condition de valet ? Quel est le sens du passage du vouvoiement au tutoiement aux vers 1479-1480 ? Vous montrerez que dans cette scène don Salluste est doublement le maître (le maître par rapport au serviteur, le maître vis-à-vis de l'élève) et vous vous interrogerez sur le sens de la leçon qu'il administre à Ruy Blas.

Ensemble de l'acte III

1. Comment Hugo réalise-t-il dans cet acte la synthèse entre les différentes ambitions du drame romantique : être une scène d'histoire, un théâtre politique et social et un drame des passions humaines. Comment s'articulent ces différentes dimensions ? Quel parallèle peut-on établir entre la situation de l'Espagne à la fin du XVIIe siècle et celle de la France au début du XIXe siècle ? La condition du peuple a-t-elle changé ?

2. Étudiez les différents visages du héros dans cet acte : Ruy Blas est-il seulement un rêveur, un idéaliste ? Peut-on dégager une cohérence d'un tel personnage ou est-il au contraire défini par ses contradictions ? Quelle est la signification politique de son discours, de son action et de son échec ?

3. Dans la préface de *Marie Tudor* (1833), Hugo décrit « ce formidable triangle qui apparaît si souvent dans l'histoire : une reine, un favori, un bourreau ». En quoi ce « triangle » rend-il compte des relations entre les personnages principaux de l'acte III ? Cette structure n'est-elle pas bouleversée par le jeu des déguisements ? Comment s'inscrit-elle dans la construction dramatique de l'acte ?

4. Dans *Angelo, tyran de Padoue,* un personnage déclare : « Il y a toujours quelqu'un dans le mur qui vous entend. » Vous montrerez que cette remarque s'applique parfaitement à la dramaturgie de cet acte et vous étudierez les différentes significations prises par le regard de l'autre.

Acte IV

Don César

Une petite chambre somptueuse et sombre. Lambris et meubles de vieille forme et de vieille dorure. Murs couverts d'anciennes tentures de velours cramoisi, écrasé et miroitant par places et derrière le dos des fauteuils, avec de larges galons d'or qui le divisent en bandes verticales. Au fond, une porte à deux battants. À gauche, sur un pan coupé, une grande cheminée sculptée du temps de Philippe II[1], avec écusson de fer battu dans l'intérieur. Du côté opposé, sur un pan coupé, une petite porte basse donnant dans un cabinet obscur. Une seule fenêtre à gauche, placée très haut et garnie de barreaux et d'un auvent inférieur comme les croisées des prisons. Sur le mur, quelques vieux portraits enfumés et à demi effacés. Coffre de garde-robe avec miroir de Venise. Grands fauteuils du temps de Philippe III[2]. Une armoire très ornée adossée au mur. Une table carrée avec ce qu'il faut pour écrire. Un petit guéridon de forme ronde à pieds dorés dans un coin. C'est le matin.

Au lever du rideau, Ruy Blas, vêtu de noir, sans manteau et sans la Toison, vivement agité, se promène à grands pas dans la chambre. Au fond se tient son page, immobile et comme attendant ses ordres.

SCÈNE 1. RUY BLAS, LE PAGE.

RUY BLAS, *à part, et se parlant à lui-même.*
Que faire ? — Elle d'abord ! elle avant tout ! — rien qu'elle !
Dût-on voir sur un mur rejaillir ma cervelle,

---

1. *Philippe II :* roi d'Espagne de 1556 à 1598.
2. *Philippe III :* voir note du vers 1192.

Dût le gibet me prendre ou l'enfer me saisir !
1500 Il faut que je la sauve ! — oui ! mais y réussir ?
Comment faire ? donner mon sang, mon cœur, mon âme,
Ce n'est rien, c'est aisé. Mais rompre cette trame !
Deviner... — deviner ! car il faut deviner !
Ce que cet homme a pu construire et combiner !
1505 Il sort soudain de l'ombre et puis il s'y replonge,
Et là, seul dans sa nuit, que fait-il ? — Quand j'y songe,
Dans le premier moment je l'ai prié pour moi !
Je suis un lâche, et puis c'est stupide ! — eh bien, quoi !
C'est un homme méchant. — Mais que je m'imagine
1510 — La chose a sans nul doute une ancienne origine, —
Que lorsqu'il tient sa proie et la mâche à moitié,
Ce démon va lâcher la reine, par pitié
Pour son valet ! Peut-on fléchir les bêtes fauves ?
— Mais, misérable, il faut pourtant que tu la sauves !
1515 C'est toi qui l'as perdue ! à tout prix ! il le faut !
— C'est fini. Me voilà retombé ! De si haut !
Si bas ! J'ai donc rêvé ! — Ho ! je veux qu'elle échappe !
Mais lui ! par quelle porte, ô Dieu, par quelle trappe,
Par où va-t-il venir, l'homme de trahison ?
1520 Dans ma vie et dans moi, comme en cette maison,
Il est maître. Il en peut arracher les dorures.
Il a toutes les clefs de toutes les serrures.
Il peut entrer, sortir, dans l'ombre s'approcher,
Et marcher sur mon cœur comme sur ce plancher.
1525 — Oui, c'est que je rêvais ! le sort trouble nos têtes
Dans la rapidité des choses sitôt faites. —
Je suis fou. Je n'ai plus une idée en son lieu.
Ma raison, dont j'étais si vain[1], mon Dieu ! mon Dieu !
Prise en un tourbillon d'épouvante et de rage,
1530 N'est plus qu'un pauvre jonc tordu par un orage !
Que faire ? Pensons bien. D'abord, empêchons-la
De sortir du palais. — Oh ! oui, le piège est là.
Sans doute. Autour de moi tout est nuit, tout est gouffre.

---

1. *Vain* : fier.

Je sens le piège, mais je ne vois pas. — Je souffre !
1535 C'est dit. Empêchons-la de sortir du palais.
Faisons-la prévenir sûrement, sans délais. —
Par qui ? — je n'ai personne !
Il rêve avec accablement. Puis, tout à coup, comme frappé d'une idée
subite et d'une lueur d'espoir, il relève la tête.
                            — Oui, don Guritan l'aime !
C'est un homme loyal ! Oui !
Faisant signe au page de s'approcher. Bas.
                          — Page, à l'instant même,
Va chez don Guritan, et fais-lui de ma part
1540 Mes excuses, et puis dis-lui que sans retard
Il aille chez la reine et qu'il la prie en grâce,
En mon nom comme au sien, quoi qu'on dise ou qu'on
                                 [fasse,
De ne point s'absenter du palais de trois jours.
Quoi qu'il puisse arriver. De ne point sortir. Cours !
Rappelant le page.
1545 Ah !
Il tire de son garde-notes une feuille et un crayon.
Qu'il donne ce mot à la reine, et qu'il veille !
Il écrit sur son genou.
— « Croyez don Guritan, faites ce qu'il conseille ! »
Il ploie le papier et le remet au page.
Quant à ce duel, dis-lui que j'ai tort, que je suis
À ses pieds, qu'il me plaigne et que j'ai des ennuis,
Qu'il porte chez la reine à l'instant mes suppliques[1],
1550 Et que je lui ferai des excuses publiques.
Qu'elle est en grand péril. Qu'elle ne sorte point.
Quoi qu'il arrive. Au moins trois jours ! — De point en
                                 [point
Fais tout. Va, sois discret, ne laisse rien paraître.

LE PAGE

Je vous suis dévoué. Vous êtes un bon maître.

---

1. *Suppliques* : ici, au sens de supplications.

RUY BLAS

1555 Cours, mon bon petit page. As-tu bien tout compris ?

LE PAGE

Oui, monseigneur, soyez tranquille.
Il sort.

RUY BLAS, *resté seul, tombant sur un fauteuil.*

Mes esprits

Se calment. Cependant, comme dans la folie,
Je sens confusément des choses que j'oublie.
Oui, le moyen est sûr. Don Guritan... ! — mais moi ?
1560 Faut-il attendre ici don Salluste ? Pourquoi ?
Non. Ne l'attendons pas. Cela le paralyse
Tout un grand jour. Allons prier dans quelque église.
Sortons. J'ai besoin d'aide, et Dieu m'inspirera !

*Il prend son chapeau sur une crédence[1], et secoue une sonnette posée sur
la table. Deux nègres, vêtus de velours vert clair et de brocart[2] d'or,
jaquettes plissées à grandes basques, paraissent à la porte du fond.
Je sors. Dans un instant un homme ici viendra.*
1565 — Par une entrée à lui. — Dans la maison, peut-être,
Vous le verrez agir comme s'il était maître.
Laissez-le faire. Et si d'autres viennent...

Après avoir hésité un moment.

Ma foi,

Vous laisserez entrer ! —

*Il congédie du geste les Noirs, qui s'inclinent en signe d'obéissance et qui
sortent.*

Allons ?

Il sort.
*Au moment où la porte se referme sur Ruy Blas, on entend un grand
bruit dans la cheminée, par laquelle on voit tomber tout à coup un
homme, enveloppé d'un manteau déguenillé, qui se précipite dans la
chambre. C'est don César.*

---

1. *Crédence :* buffet (ou console) utilisé comme desserte.
2. *Brocart :* riche tissu de soie.

SCÈNE 2. DON CÉSAR.

Effaré, essoufflé, décoiffé, étourdi, avec une expression joyeuse et inquiète en même temps.
Tant pis ! c'est moi !
Il se relève en se frottant la jambe sur laquelle il est tombé, et s'avance dans la chambre avec force révérences et chapeau bas.
Pardon ! ne faites pas attention, je passe.
1570 Vous parliez entre vous. Continuez, de grâce.
J'entre un peu brusquement, messieurs, j'en suis fâché !
Il s'arrête au milieu de la chambre et s'aperçoit qu'il est seul.
— Personne ! — Sur le toit tout à l'heure perché,
J'ai cru pourtant ouïr un bruit de voix. — Personne !
S'asseyant dans un fauteuil.
Fort bien. Recueillons-nous. La solitude est bonne.
1575 — Ouf ! que d'événements ! — J'en suis émerveillé
Comme l'eau qu'il secoue aveugle un chien mouillé.
Primo, ces alguazils qui m'ont pris dans leurs serres ;
Puis cet embarquement absurde ; ces corsaires ;
Et cette grosse ville où l'on m'a tant battu ;
1580 Et les tentations faites sur ma vertu
Par cette femme jaune ; et mon départ du bagne ;
Mes voyages ; enfin, mon retour en Espagne !
Puis, quel roman ! le jour où j'arrive, c'est fort,
Ces mêmes alguazils rencontrés tout d'abord !
1585 Leur poursuite enragée et ma fuite éperdue ;
Je saute un mur ; j'avise une maison perdue
Dans les arbres, j'y cours ; personne ne me voit ;
Je grimpe allègrement du hangar sur le toit ;
Enfin, je m'introduis dans le sein des familles
1590 Par une cheminée où je mets en guenilles
Mon manteau le plus neuf qui sur mes chausses pend !...
— Pardieu ! monsieur Salluste est un grand sacripant !
Se regardant dans une petite glace de Venise posée sur le grand coffre à tiroirs sculptés.
— Mon pourpoint m'a suivi dans mes malheurs. Il lutte !
Il ôte son manteau et mire dans la glace son pourpoint de satin rose usé, déchiré et rapiécé ; puis il porte vivement la main à sa jambe avec un coup d'œil vers la cheminée.

155

Mais ma jambe a souffert diablement dans ma chute !

Il ouvre les tiroirs du coffre. Dans l'un d'entre eux, il trouve un manteau de velours vert clair, brodé d'or, le manteau donné par don Salluste à Ruy Blas. Il examine le manteau et le compare au sien.

1595 — Ce manteau me paraît plus décent que le mien.

Il jette le manteau vert sur ses épaules et met le sien à la place dans le coffre, après l'avoir soigneusement plié ; il y ajoute son chapeau qu'il enfonce sous le manteau d'un coup de poing ; puis il referme le tiroir. Il se promène fièrement dans le beau manteau brodé d'or.

C'est égal, me voilà revenu. Tout va bien.
Ah ! mon très cher cousin, vous voulez que j'émigre
Dans cette Afrique où l'homme est la souris du tigre !
Mais je vais me venger de vous, cousin damné,
1600 Épouvantablement quand j'aurai déjeuné.
J'irai, sous mon vrai nom, chez vous, traînant ma queue
D'affreux vauriens sentant le gibet d'une lieue,
Et je vous livrerai vivant aux appétits
De tous mes créanciers — suivis de leurs petits.

Il aperçoit dans un coin une magnifique paire de bottines à canons[1] de dentelles. Il jette lestement ses vieux souliers, et chausse sans façon les bottines neuves.

1605 Voyons d'abord où m'ont jeté ses perfidies.

Après avoir examiné la chambre de tous les côtés.

Maison mystérieuse et propre aux tragédies.
Portes closes, volets barrés, un vrai cachot.
Dans ce charmant logis on entre par en haut,
Juste comme le vin entre dans les bouteilles.

Avec un soupir.

1610 — C'est bien bon du bon vin ! —

Il aperçoit la petite porte à droite, l'ouvre, s'introduit vivement dans le cabinet avec lequel elle communique ; puis rentre avec des gestes d'étonnement.

                                        Merveille des merveilles !
Cabinet sans issue où tout est clos aussi !

---

1. *Canons :* ornements formés de dentelles et de rubans.

Il va à la porte du fond, l'entr'ouvre, et regarde au dehors ; puis il la
laisse retomber et revient sur le devant du théâtre.
Personne ! — Où diable suis-je ? — Au fait j'ai réussi
À fuir les alguazils. Que m'importe le reste ?
Vais-je pas m'effarer et prendre un air funeste
1615 Pour n'avoir jamais vu de maison faite ainsi ?
Il se rassied sur le fauteuil, bâille, puis se relève presque aussitôt.
Ah ça, mais — je m'ennuie horriblement ici.
Avisant une petite armoire dans le mur, à gauche, qui fait le coin du pan
coupé.
Voyons, ceci m'a l'air d'une bibliothèque.
Il y va et l'ouvre. C'est un garde-manger bien garni.
Justement. — Un pâté, du vin, une pastèque,
C'est un en-cas[1] complet. Six flacons bien rangés !
1620 Diable ! Sur ce logis j'avais des préjugés.
Examinant les flacons l'un après l'autre.
C'est un bon choix. — Allons ! l'armoire est honorable.
Il va chercher dans un coin la petite table ronde, l'apporte sur le devant
du théâtre et la charge joyeusement de tout ce que contient le
garde-manger, bouteilles, plats, etc., il ajoute un verre, une assiette, une
fourchette, etc. — Puis il prend une des bouteilles.
Lisons d'abord ceci.
Il emplit le verre, et boit d'un trait.
           C'est une œuvre admirable
De ce fameux poète appelé le soleil !
Xérès-des-Chevaliers[2] n'a rien de plus vermeil.
Il s'assied, se verse un second verre et boit.
1625 Quel livre vaut cela ? Trouvez-moi quelque chose
De plus spiritueux[3] !
Il boit.
           Ah ! Dieu, cela repose !
Mangeons.

---

1. *Un en-cas* : un repas froid prêt à être consommé.
2. *Xérès-des-Chevaliers* : allusion au vin réputé de Xérès.
3. *Spiritueux* : fortement alcoolisé. Rapprochement humoristique avec
« spirituel ».

Il entame le pâté.

    Chiens d'alguazils ! je les ai déroutés.
Ils ont perdu ma trace.
Il mange.

      Oh ! le roi des pâtés !
Quant au maître du lieu, s'il survient... —
Il va au buffet et en rapporte un verre et un couvert qu'il pose sur la table.

       Je l'invite.
1630 — Pourvu qu'il n'aille pas me chasser ! Mangeons vite.
Il met les morceaux doubles.

Mon dîner fait, j'irai visiter la maison.
Mais qui peut l'habiter ? Peut-être un bon garçon.
Ceci peut ne cacher qu'une intrigue de femme.
Bah ! quel mal fais-je ici ? Qu'est-ce que je réclame ?
1635 Rien, — l'hospitalité de ce digne mortel,
À la manière antique,
Il s'agenouille à demi et entoure la table de ses bras.

     en embrassant l'autel[1].
Il boit.

D'abord, ceci n'est point le vin d'un méchant homme.
Et puis, c'est convenu, si l'on vient, je me nomme.
Ah ! vous endiablerez, mon vieux cousin maudit !
1640 Quoi, ce bohémien ? Ce galeux ? ce bandit ?
Ce Zafari ? ce gueux ? ce va-nu-pieds ?... — Tout juste !
Don César de Bazan, cousin de don Salluste !
Oh la bonne surprise ! et dans Madrid quel bruit !
Quand est-il revenu ? ce matin ? cette nuit ?
1645 Quel tumulte partout en voyant cette bombe,
Ce grand nom oublié qui tout à coup retombe,
Don César de Bazan ! oui, messieurs, s'il vous plaît.
Personne n'y pensait, personne n'en parlait.
Il n'était donc pas mort ? Il vit, messieurs, mesdames !
1650 Les hommes diront : Diable ! — Oui dà ! diront les femmes.

---

1. *L'autel* : l'autel des dieux du Foyer, auxquels l'étranger demandait l'hospitalité.

Doux bruit, qui vous reçoit rentrant dans vos foyers,
Mêlé de l'aboiement de trois cents créanciers !
Quel beau rôle à jouer ! — Hélas ! l'argent me manque.
Bruit à la porte.
On vient ! — Sans doute on va comme un vil saltimbanque
M'expulser. — C'est égal, ne fais rien à demi,
César !

Il s'enveloppe de son manteau jusqu'aux yeux. La porte du fond s'ouvre. Entre un laquais en livrée portant sur son dos une grosse sacoche.

159

Acte IV Scènes 1 et 2

Les trois premiers actes étaient situés dans le palais du roi à Madrid. Ruy Blas pouvait y rêver une autre vie. Le décor des actes IV et V est plus fermé, plus secret et plus sombre. Ses couleurs sont celles de la livrée du héros. Ses meubles anciens appartiennent à une histoire synonyme pour lui d'aliénation, une histoire qu'écrit dans l'ombre don Salluste et à laquelle il semble difficile d'échapper.

ÊTRE OU NE PAS ÊTRE RUY BLAS ?

Malgré la présence du page, la tirade de Ruy Blas (scène 1) est quasiment un monologue. La délibération du héros peut être rapprochée du célèbre monologue d'Hamlet dans la tragédie de Shakespeare ou des stances de Rodrigue dans le Cid, de Corneille. Ces personnages affrontent un débat de conscience qui met en cause tout leur être. À ce stade, la pensée est une souffrance.

1. Au lever du rideau, Ruy Blas ne porte ni le manteau de Salluste (voir I, 4) ni la Toison d'or (voir III, 1). Quelle est la signification de ce dépouillement ? En quoi les autres didascalies traduisent-elles le bouleversement intérieur du personnage ?

2. Comment s'expliquent les hésitations de Ruy Blas ? Entre quels sentiments est-il partagé ? Quelle forme prend son dialogue avec lui-même ? Quelle place particulière et quelle signification sont accordées aux pronoms « il » et « elle » dans sa tirade (v. 1497 à 1537) ? Montrez que les ruptures qui brisent la structure de l'alexandrin sont des indices du désarroi du héros. Est-il possible d'établir un plan de la tirade ?

3. Par quelles images est traduit le sentiment d'une fatalité qui affecte la vie et la raison de Ruy Blas ? Comment tente-t-il de briser ce cercle fatal ?

LE RETOUR DU GROTESQUE

4. Ce n'est évidemment pas un hasard si le faux et le vrai César se succèdent sur la scène : quel effet produit la juxtaposition de leurs deux monologues ? Quelle différence apparaît dans la manière dont les deux personnages réagissent dans l'adversité ? Comment, dans un lieu scénique clos (voir v. 1606 à 1609), don César affirme-t-il

paradoxalement sa liberté et sa faculté d'adaptation aux circonstances ?

5. Définissez les caractères du grotesque dans le personnage de don César en étudiant ses gestes et ses attitudes (de son entrée en scène à son repas), son goût du jeu, des apparences et de la création verbale, enfin les formes particulières de son humour. Quelles valeurs, quelles conventions sont renversées dans son discours ? En étudiant le vocabulaire qu'il emploie, vous rechercherez les contrastes entre les registres familiers et soutenus.

6. Vous montrerez que son récit des vers 1575 à 1591 rattache don César à la tradition picaresque. Étudiez les procédés qui donnent un rythme enlevé à ce passage.

SCÈNE 3.   DON CÉSAR, UN LAQUAIS.

DON CÉSAR,
toisant le laquais de la tête aux pieds.
Qui venez-vous chercher céans[1] l'ami ?
À part.
Il faut beaucoup d'aplomb, le péril est extrême.

LE LAQUAIS
Don César de Bazan.

DON CÉSAR, *dégageant son visage du manteau.*
Don César ! C'est moi-même !
À part.
Voilà du merveilleux !

LE LAQUAIS
Vous êtes le seigneur
1660   Don César de Bazan ?

DON CÉSAR
Pardieu ! J'ai cet honneur.
César ! le vrai César ! le seul César ! le comte
De Garo...

LE LAQUAIS, *posant sur le fauteuil la sacoche.*
Daignez voir si c'est là votre compte.

DON CÉSAR, *comme ébloui.*
À part.
De l'argent ! c'est trop fort !
Haut.
Mon cher...

LE LAQUAIS
Daignez compter.
C'est la somme que j'ai l'ordre de vous porter.

---

1. *Céans :* en ce lieu.

DON CÉSAR, *gravement.*

1665 Ah ! fort bien ! je comprends.
À part.

Je veux bien que le diable... —
Ça, ne dérangeons pas cette histoire admirable.
Ceci vient fort à point.
Haut.

Vous faut-il des reçus ?

LE LAQUAIS

Non, monseigneur.

DON CÉSAR, *lui montrant la table.*
Mettez cet argent là-dessus.

Le laquais obéit.
De quelle part ?

LE LAQUAIS
Monsieur le sait bien.

DON CÉSAR

Sans nul doute.

1670 Mais...

LE LAQUAIS
Cet argent — voilà ce qu'il faut que j'ajoute, —
Vient de qui vous savez pour ce que vous savez.

DON CÉSAR, *satisfait de l'explication.*

Ah !

LE LAQUAIS
Nous devons, tous deux, être fort réservés.
Chut !

DON CÉSAR
Chut ! ! ! — Cet argent vient... — La phrase est
[magnifique !
Redites-la-moi donc.

LE LAQUAIS
Cet argent...

163

DON CÉSAR

Tout s'explique !
1675 Me vient de qui je sais...

LE LAQUAIS

Pour ce que vous savez.

Nous devons...

DON CÉSAR

Tous les deux ! ! !

LE LAQUAIS

Être fort réservés.

DON CÉSAR

C'est parfaitement clair.

LE LAQUAIS

Moi, j'obéis. Du reste

Je ne comprends pas.

DON CÉSAR

Bah !

LE LAQUAIS

Mais vous comprenez !

DON CÉSAR

Peste !

LE LAQUAIS

Il suffit.

DON CÉSAR

Je comprends et je prends, mon très cher.
1680 De l'argent qu'on reçoit, d'abord, c'est toujours clair.

LE LAQUAIS

Chut !

DON CÉSAR

Chut ! ! ! ne faisons pas d'indiscrétion. Diantre !

LE LAQUAIS

Comptez, seigneur !

DON CÉSAR
Pour qui me prends-tu ?
Admirant la rondeur du sac posé sur la table.

Le beau ventre !

LE LAQUAIS, *insistant.*
Mais...

DON CÉSAR
Je me fie à toi.

LE LAQUAIS
L'or est en souverains[1].
Bons quadruples[2] pesant sept gros[3] trente-six grains[4],
1685 Ou bons doublons[5] au marc[6]. L'argent, en croix-maries[7].
Don César ouvre la sacoche et en tire plusieurs sacs pleins d'or et d'argent qu'il ouvre et vide sur la table avec admiration ; puis il se met à puiser à pleines poignées dans les sacs d'or, et remplit ses poches de quadruples et de doublons.

DON CÉSAR, *s'interrompant avec majesté.*
À part.
Voici que mon roman, couronnant ses féeries,
Meurt amoureusement sur un gros million.
Il se remet à remplir ses poches.
Ô délices ! je mords à même un galion[8] !
Une poche pleine, il passe à l'autre. Il se cherche des poches partout et semble avoir oublié le laquais.

LE LAQUAIS, *qui le regarde avec impassibilité.*
Et maintenant j'attends vos ordres.

---

1. Le souverain est une monnaie d'or anglaise, valant huit écus.
2. Le quadruple est une monnaie valant quatre écus.
3. Un gros est un huitième d'once (une once = 30 grammes).
4. Le grain est un soixante-douzième du gros.
5. Le doublon est une monnaie valant deux écus.
6. Le marc est un poids de huit onces servant à la pesée.
7. La croix-marie est une monnaie d'argent portant une croix et le nom de Marie.
8. *Galion :* vaisseau chargé de l'or et d'autres richesses des Amériques.

DON CÉSAR, *se retournant.*
Pour quoi faire ?

LE LAQUAIS

1690 Afin d'exécuter, vite et sans qu'on diffère,
Ce que je ne sais pas et ce que vous savez.
De très grands intérêts...

DON CÉSAR, *l'interrompant d'un air d'intelligence.*
Oui, publics et privés ! ! !

LE LAQUAIS

Veulent que tout cela se fasse à l'instant même.
Je dis ce qu'on m'a dit de dire.

DON CÉSAR, *lui frappant sur l'épaule.*
Et je t'en aime,

1695 Fidèle serviteur.

LE LAQUAIS

Pour ne rien retarder,
Mon maître à vous me donne afin de vous aider.

DON CÉSAR

C'est agir congrûment[1]. Faisons ce qu'il désire.
À part.
Je veux être pendu si je sais que lui dire.
Haut.
Approche, galion, et d'abord —
Il remplit de vin l'autre verre.
Bois-moi ça !

LE LAQUAIS

1700 Quoi, seigneur !

DON CÉSAR

Bois-moi ça !
Le laquais boit. Don César lui remplit son verre.

---

1. *Congrûment :* comme il convient.

Du vin d'Oropesa[1] !

Il fait asseoir le laquais, le fait boire, et lui verse de nouveau vin.

Causons.

À part.

Il a déjà la prunelle allumée.

Haut et s'étendant sur sa chaise.

L'homme, mon cher ami, n'est que de la fumée,
Noire, et qui sort du feu des passions. Voilà.

Il lui verse à boire.

C'est bête comme tout ce que je te dis là.
1705 Et d'abord la fumée, au ciel bleu ramenée,
Se comporte autrement dans une cheminée.
Elle monte gaiement, et nous dégringolons.

Il se frotte la jambe.

L'homme n'est qu'un plomb vil.

Il remplit les deux verres.

Buvons. Tous tes doublons
Ne valent pas le chant d'un ivrogne qui passe.

Se rapprochant d'un air mystérieux.

1710 Vois-tu, soyons prudents. Trop chargé, l'essieu casse.
Le mur sans fondement s'écroule subitô[2].
Mon cher, raccroche-moi le col de mon manteau.

LE LAQUAIS, *fièrement.*

Seigneur, je ne suis pas valet de chambre.

Avant que don César ait pu l'en empêcher, il secoue la sonnette posée sur la table.

DON CÉSAR, *à part, effrayé.*

Il sonne

Le maître va peut-être arriver en personne.
1715 Je suis pris.

Entre un des Noirs. Don César, en proie à la plus vive anxiété, se retourne du côté opposé, comme ne sachant que devenir.

---

1. *Oropesa* : ville de la province du Levant.
2. *Subitô* : tout à coup (du latin *subito*).

LE LAQUAIS, *au nègre.*
Remettez l'agrafe à monseigneur.

Le nègre s'approche gravement de don César, qui le regarde faire d'un air stupéfait ; puis il rattache l'agrafe du manteau, salue et sort, laissant don César pétrifié.

DON CÉSAR, *se levant de table.*

À part.
Je suis chez Belzébuth[1], ma parole d'honneur !
Il vient sur le devant du théâtre et se promène à grands pas.
Ma foi, laissons-nous faire, et prenons ce qui s'offre.
Donc je vais remuer les écus à plein coffre.
J'ai de l'argent ! que vais-je en faire ?
Se retournant vers le laquais attablé, qui continue à boire et qui commence à chanceler sur sa chaise.
Attends, pardon !

Rêvant, à part.
1720 Voyons, — si je payais mes créanciers ? — fi donc !
— Du moins, pour les calmer, âmes à s'aigrir promptes,
Si je les arrosais avec quelques acomptes ?
— À quoi bon arroser ces vilaines fleurs-là ?
Où diable mon esprit va-t-il chercher cela ?
1725 Rien n'est tel que l'argent pour vous corrompre un homme,
Et fût-il descendant d'Annibal qui prit Rome[2],
L'emplir jusqu'au goulot de sentiments bourgeois !
Que dirait-on ? me voir payer ce que je dois !
Ah !

LE LAQUAIS, *vidant son verre.*
Que m'ordonnez-vous ?

DON CÉSAR
Laisse-moi, je médite.
1730 Bois en m'attendant.

---

1. *Belzébuth* : idole des Philistins confondue avec Satan et qui avait un visage noir.
2. Annibal n'a jamais pris Rome..., mais César a déjà pris trop de vin, ce qui expliquerait cette erreur !

*Le laquais se remet à boire. Lui continue de rêver, et tout à coup se
frappe le front comme ayant trouvé une idée.*

Oui !

Au laquais.

Lève-toi tout de suite.

Voici ce qu'il faut faire ! Emplis tes poches d'or.
*Le laquais se lève en trébuchant, et emplit d'or les poches de son
justaucorps. Don César l'y aide, tout en continuant.*
Dans la ruelle, au bout de la Place Mayor,
Entre au numéro neuf. Une maison étroite.
Beau logis, si ce n'est que la fenêtre à droite
1735 A sur le cristallin[1] une taie en papier.

LE LAQUAIS

Maison borgne ?

DON CÉSAR

Non, louche. On peut s'estropier
En montant l'escalier. Prends-y garde.

LE LAQUAIS

Une échelle ?

DON CÉSAR

À peu près. C'est plus roide. — En haut loge une belle
Facile à reconnaître, un bonnet de six sous
1740 Avec de gros cheveux ébouriffés dessous,
Un peu courte, un peu rousse... — une femme charmante !
Sois très respectueux, mon cher, c'est mon amante !
Lucinda, qui jadis, blonde à l'œil indigo,
Chez le pape, le soir, dansait le fandango[2]..
1745 Compte-lui cent ducats en mon nom. — Dans un bouge,
À côté, tu verras un gros diable au nez rouge,
Coiffé jusqu'aux sourcils d'un vieux feutre fané
Où pend tragiquement un plumeau consterné,
La rapière[3] à l'échine et la loque à l'épaule.

---

1. *Cristallin* : partie de l'œil ; la métaphore est filée avec la « taie » en papier.
2. *Fandango* : danse espagnole accompagnée de guitare et castagnettes.
3. *La rapière* : l'épée.

1750 — Donne de notre part six piastres à ce drôle. —
Plus loin, tu trouveras un trou noir comme un four,
Un cabaret qui chante au coin d'un carrefour.
Sur le seuil boit et fume un vivant qui le hante.
C'est un homme fort doux et de vie élégante.
1755 Un seigneur dont jamais un juron ne tomba,
Et mon ami de cœur, nommé Goulatromba[1].
— Trente écus ! — Et dis-lui, pour toutes patenôtres[2],

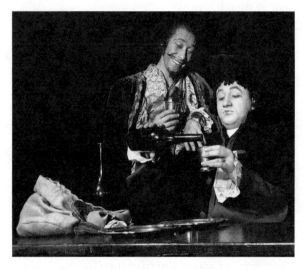

Don César (Daniel Sorano) et le laquais (Philippe Noiret)
au T.N.P. en 1954.

1. *Goulatromba* : personnage d'une ébauche de comédie intitulée par Hugo
Don César de Bazan.
2. *Patenôtres* : prières.

Qu'il les boive bien vite et qu'il en aura d'autres.
Donne à tous ces faquins[1] ton argent le plus rond[2],
1760 Et ne t'ébahis pas des yeux qu'ils ouvriront.

LE LAQUAIS

Après ?

DON CÉSAR

Garde le reste. Et pour dernier chapitre...

LE LAQUAIS

Qu'ordonne monseigneur ?

DON CÉSAR

Va te soûler, bélître[3] !
Casse beaucoup de pots et fais beaucoup de bruit,
Et ne rentre chez toi que demain — dans la nuit.

LE LAQUAIS

1765 Suffit, mon prince.
Il se dirige vers la porte en faisant des zigzags.

DON CÉSAR, *le regardant marcher.*

À part.

Il est effroyablement ivre !
Le rappelant. L'autre se rapproche.
Ah !... — Quand tu sortiras, les oisifs vont te suivre.
Fais par ta contenance honneur à la boisson.
Sache te comporter d'une noble façon.
S'il tombe par hasard des écus de tes chausses,
1770 Laisse tomber ; — et si des essayeurs de sauces[4],
Des clercs[5], des écoliers, des gueux qu'on voit passer,

---

1. *Faquins :* individus sans valeur (du point de vue de la société, mais pas au regard de don César).
2. *Ton argent le plus rond :* des pièces qui n'ont pas été usées ou rognées par les services de la Monnaie.
3. *Bélître :* un homme de rien (le mot est péjoratif).
4. *Des essayeurs de sauces :* des gâte-sauce, c'est-à-dire de mauvais cuisiniers.
5. *Clercs :* étudiants en théologie.

171

Les ramassent, — mon cher, laisse-les ramasser.
Ne sois pas un mortel de trop farouche approche.
Si même ils en prenaient quelques-uns dans ta poche,
1775 Sois indulgent. Ce sont des hommes comme nous.
Et puis il faut, vois-tu, c'est une loi pour tous,
Dans ce monde, rempli de sombres aventures,
Donner parfois un peu de joie aux créatures.
Avec mélancolie.
Tous ces gens-là seront peut-être un jour pendus !
1780 Ayons donc les égards pour eux qui leur sont dus !
— Va-t'en.
*Le laquais sort. Resté seul, don César se rassied, s'accoude sur la table,
et paraît plongé dans de profondes réflexions.*
            C'est le devoir du chrétien et du sage,
Quand il a de l'argent, d'en faire un bon usage.
J'ai de quoi vivre au moins huit jours ! je les vivrai.
Et, s'il me reste un peu d'argent, je l'emploierai
1785 À des fondations pieuses. Mais je n'ose
M'y fier, car on va me reprendre la chose.
C'est méprise sans doute, et ce mal-adressé
Aura mal entendu, j'aurai mal prononcé...
*La porte du fond se rouvre. Entre une duègne ; vieille, cheveux gris,
basquine*[1] *et mantille*[2] *noires ; éventail.*

SCÈNE 4.   DON CÉSAR, UNE DUÈGNE.

                LA DUÈGNE, *sur le seuil de la porte.*
Don César de Bazan !
Don César, absorbé dans ses méditations, relève brusquement la tête.

---

1. *Basquine* : jupe portée par-dessus une autre jupe et relevée en basques.
2. *Mantille* : pièce de dentelle généralement noire, portée par les Espagnoles
sur la tête et les épaules.

DON CÉSAR

Pour le coup !

À part.

Oh ! femelle !

*Pendant que la duègne accomplit une profonde révérence au fond du
théâtre, il vient stupéfait sur le devant de la scène.*

1790 Mais il faut que le diable ou Salluste s'en mêle ?
Gageons que je vais voir arriver mon cousin.
Une duègne !
Haut.

C'est moi don César. — Quel dessein ?...

À part.

D'ordinaire une vieille en annonce une jeune.

LA DUÈGNE *(révérence avec un signe de croix).*

Seigneur, je vous salue, aujourd'hui jour de jeûne,
1795 En Jésus Dieu le fils sur qui rien ne prévaut.

DON CÉSAR, *à part.*

À galant dénouement commencement dévot.
Haut.

Ainsi soit-il ! Bonjour.

LA DUÈGNE

Dieu vous maintienne en joie !

Mystérieusement.

Avez-vous à quelqu'un qui jusqu'à vous m'envoie,
Donné pour cette nuit un rendez-vous secret ?

DON CÉSAR

1800 Mais j'en suis fort capable.

LA DUÈGNE

*Elle tire de son garde-infante[1] un billet plié et le lui présente, mais sans
le lui laisser prendre.*

Ainsi, mon beau discret,

C'est bien vous qui venez, et pour cette nuit même,

---

1. *Garde-infante :* bourrelet formant la ceinture d'une jupe.

D'adresser ce message à quelqu'un qui vous aime,
Et que vous savez bien ?

DON CÉSAR

Ce doit être moi.

LA DUÈGNE

Bon.

La dame, mariée à quelque vieux barbon,
1805 À des ménagements sans doute est obligée,
Et de me renseigner céans on m'a chargée.
Je ne la connais pas, mais vous la connaissez.
La soubrette[1] m'a dit les choses. C'est assez.
Sans les noms.

DON CÉSAR

Hors le mien.

LA DUÈGNE

C'est tout simple. Une dame

1810 Reçoit un rendez-vous de l'ami de son âme,
Mais on craint de tomber dans quelque piège ; mais
Trop de précautions ne gâtent rien jamais.
Bref ! ici l'on m'envoie avoir de votre bouche
La confirmation...

DON CÉSAR

Oh ! la vieille farouche !

1815 Vrai Dieu ! quelle broussaille autour d'un billet doux !
Oui, c'est moi, moi, te dis-je !

LA DUÈGNE

*Elle pose sur la table le billet plié, que don César examine avec
curiosité.*

En ce cas, si c'est vous,

Vous écrirez : *Venez,* au dos de cette lettre.
Mais pas de votre main, pour ne rien compromettre.

---

1. *Soubrette :* suivante ou servante de comédie.

DON CÉSAR

Peste ! au fait ! de ma main !

À part.

Message bien rempli !

Il tend la main pour prendre la lettre, mais elle est recachetée, et la duègne ne la lui laisse pas toucher.

LA DUÈGNE

1820 N'ouvrez pas. Vous devez reconnaître le pli.

DON CÉSAR

Pardieu !

À part.

Moi qui brûlais de voir !... jouons mon rôle !

Il agite la sonnette. Entre un des Noirs.

Tu sais écrire ?...

Le Noir fait un signe de tête affirmatif. Étonnement de don César.

À part.

Un signe !

Haut.

Es-tu muet, mon drôle ?

Le Noir fait un nouveau signe d'affirmation. Nouvelle stupéfaction de don César.

À part.

Fort bien ! continuez ! des muets à présent !

Au muet, en lui montrant la lettre, que la vieille tient appliquée sur la table.

— Écris-moi là : *Venez...*

Le muet écrit. Don César fait signe à la duègne de reprendre la lettre et au muet de sortir. Le muet sort.

À part.

Il est obéissant !

LA DUÈGNE, *remettant le billet dans son garde-infante et se rapprochant de don César.*

1825 Vous la verrez ce soir. Est-elle bien jolie ?

DON CÉSAR

Charmante !

LA DUÈGNE

La suivante est d'abord accomplie.

175

Elle m'a pris à part au milieu du sermon.
Mais belle ! un profil d'ange avec l'œil d'un démon.
Puis aux choses d'amour elle paraît savante.

DON CÉSAR, à part.

1830 Je me contenterais fort bien de la servante !

LA DUÈGNE

Nous jugeons, car toujours le beau fait peur au laid,
La sultane à l'esclave, et le maître au valet.
La vôtre est, à coup sûr, fort belle.

DON CÉSAR

Je m'en flatte.

LA DUÈGNE, faisant une révérence pour se retirer.
Je vous baise la main.

DON CÉSAR, lui donnant une poignée de doublons.
Je te graisse la patte.

1835 Tiens, vieille !

LA DUÈGNE, empochant.
La jeunesse est gaie aujourd'hui !

DON CÉSAR, la congédiant.

Va.

LA DUÈGNE, révérences.
Si vous aviez besoin... J'ai nom dame Oliva,
Couvent San Isidro —
Elle sort ; puis la porte se rouvre et l'on voit sa tête reparaître.
Toujours à droite assise
Au troisième pilier en entrant dans l'église.
Don César se retourne avec impatience. La porte retombe ; puis elle se
rouvre encore, et la vieille reparaît.
Vous la verrez ce soir ! Monsieur, pensez à moi
1840 Dans vos prières.

DON CÉSAR, la chassant avec colère.
Ah !
La duègne disparaît ; la porte se referme.

176

DON CÉSAR, *seul.*
Je me résous, ma foi,
À ne plus m'étonner. J'habite dans la lune.
Me voici maintenant une bonne fortune ;
Et je vais contenter mon cœur après ma faim.
Rêvant.
Tout cela me paraît bien beau. — Gare la fin.
*La porte du fond se rouvre. Paraît don Guritan avec deux longues épées
nues sous le bras.*

SCÈNE 5. DON CÉSAR, DON GURITAN.

DON GURITAN, *du fond du théâtre.*
1845 Don César de Bazan !

DON CÉSAR
Il se retourne et aperçoit don Guritan et les deux épées.
Enfin ! à la bonne heure !
L'aventure était bonne, elle devient meilleure.
Bon dîner, de l'argent, un rendez-vous, — un duel !
Je redeviens César à l'état naututrel !
*Il aborde gaiement, avec force salutations empressées, don Guritan, qui
fixe sur lui un œil inquiétant, et s'avance d'un pas roide sur le devant du
théâtre.*
C'est ici, cher seigneur. Veuillez prendre la peine
Il lui présente un fauteuil. Don Guritan reste debout.
1850 D'entrer, de vous asseoir. — Comme chez vous, — sans gêne.
Enchanté de vous voir. Ça, causons un moment.
Que fait-on à Madrid ? Ah ! quel séjour charmant !
Moi, je ne sais plus rien, je pense qu'on admire
Toujours Matalobos et toujours Lindamire[1].

---

1. *Lindamire :* danseuse évoquée au vers 566. Le voleur Matalobos a, quant à
lui, été évoqué au vers 121.

1855 Pour moi, je craindrais plus, comme péril urgent,
La voleuse de cœurs que le voleur d'argent.
Oh ! les femmes, monsieur ! Cette engeance endiablée
Me tient, et j'ai la tête à leur endroit fêlée.
Parlez, remettez-moi l'esprit en bon chemin.
1860 Je ne suis plus vivant, je n'ai plus rien d'humain,
Je suis un être absurde, un mort qui se réveille,
Un bœuf, un hidalgo de la Castille-Vieille[1].
On m'a volé ma plume et j'ai perdu mes gants.
J'arrive des pays les plus extravagants.

DON GURITAN

1865 Vous arrivez, mon cher monsieur ? Eh bien, j'arrive
Encor bien plus que vous !

DON CÉSAR, *épanoui.*
De quelle illustre rive ?

DON GURITAN

De là-bas, dans le nord.

DON CÉSAR
Et moi, de tout là-bas,

Dans le midi.

DON GURITAN
Je suis furieux !

DON CÉSAR
N'est-ce pas ?

Moi, je suis enragé !

DON GURITAN
J'ai fait douze cents lieues !

DON CÉSAR

1870 Moi, deux mille ! J'ai vu des femmes jaunes, bleues,
Noires, vertes. J'ai vu des lieux du ciel bénis,

---

1. *Un hidalgo de la Castille-Vieille :* un noble espagnol vivant loin de la capitale et mal informé de ce qui s'y passe.

Alger, la ville heureuse, et l'aimable Tunis,
Où l'on voit, tant ces Turcs ont des façons accortes[1],
Force gens empalés accrochés sur les portes.

DON GURITAN

1875 On m'a joué, monsieur !

DON CÉSAR
Et moi, l'on m'a vendu !

DON GURITAN

L'on m'a presque exilé !

DON CÉSAR
L'on m'a presque pendu !

DON GURITAN

On m'envoie à Neubourg, d'une manière adroite,
Porter ces quatre mots écrits dans une boîte :
« Gardez le plus longtemps possible ce vieux fou ! »

DON CÉSAR, *éclatant de rire.*

1880 Parfait ! Qui donc cela ?

DON GURITAN
Mais je tordrai le cou

À César de Bazan !

DON CÉSAR, *gravement.*
Ah !

DON GURITAN
Pour comble d'audace,

Tout à l'heure il m'envoie un laquais à sa place.
Pour l'excuser, dit-il ! Un dresseur de buffet !
Je n'ai point voulu voir le valet. Je l'ai fait
1885 Chez moi mettre en prison, et je viens chez le maître.
Ce César de Bazan ! cet impudent ! ce traître !
Voyons, que je le tue ! Où donc est-il ?

---

1. *Accortes* : aimables (le mot est ironique).

179

DON CÉSAR, *toujours avec gravité.*
C'est moi.

DON GURITAN

Vous ! — raillez-vous, monsieur ?

DON CÉSAR
Je suis don César.

DON GURITAN
Quoi !

Encor !

DON CÉSAR
Sans doute, encor !

DON GURITAN
Mon cher, quittez ce rôle.
1890 Vous m'ennuyez beaucoup si vous vous croyez drôle.

DON CÉSAR

Vous, vous m'amusez fort. Et vous m'avez tout l'air
D'un jaloux. Je vous plains énormément, mon cher.
Car le mal qui nous vient des vices qui sont nôtres
Est pire que le mal que nous font ceux des autres.
1895 J'aimerais mieux encore, et je le dis à vous,
Être pauvre qu'avare et cocu que jaloux.
Vous êtes l'un et l'autre au reste. Sur mon âme,
J'attends encor ce soir madame votre femme.

DON GURITAN

Ma femme !

DON CÉSAR
Oui, votre femme !

DON GURITAN
Allons ! je ne suis pas

1900 Marié.

DON CÉSAR
Vous venez faire cet embarras !
Point marié ! Monsieur prend depuis un quart d'heure
L'air d'un mari qui hurle ou d'un tigre qui pleure,

180

Si bien que je lui donne, avec simplicité,
Un tas de bons conseils en cette qualité !
1905 Mais si vous n'êtes pas marié, par Hercule,
De quel droit êtes-vous à ce point ridicule ?

DON GURITAN

Savez-vous bien, monsieur, que vous m'exaspérez ?

DON CÉSAR

Bah !

DON GURITAN

Que c'est trop fort !

DON CÉSAR

Vrai ?

DON GURITAN

Que vous me le paierez !

DON CÉSAR

*Il examine d'un air goguenard les souliers de don Guritan, qui
disparaissent sous des flots de rubans selon la nouvelle mode.*
Jadis on se mettait des rubans sur la tête.
1910 Aujourd'hui, je le vois, c'est une mode honnête,
On en met sur sa botte. On se coiffe les pieds.
C'est charmant !

DON GURITAN

Nous allons nous battre !

DON CÉSAR, *impassible.*

Vous croyez ?

DON GURITAN

Vous n'êtes pas César, la chose me regarde,
Mais je vais commencer par vous.

DON CÉSAR

Bon. Prenez garde
1915 De finir par moi.

DON GURITAN

Il lui présente une des deux épées.
Fat ! sur-le-champ !

181

DON CÉSAR, *prenant l'épée.*
                          De ce pas.
Quand je tiens un bon duel, je ne le lâche pas !

DON GURITAN

Où ?

DON CÉSAR

Derrière le mur. Cette rue est déserte.

DON GURITAN, *essayant la pointe de l'épée sur le parquet.*
Pour César, je le tue ensuite !

DON CÉSAR
                          Vraiment ?

DON GURITAN
                          Certe[1] !

DON CÉSAR, *faisant aussi ployer son épée.*
Bah ! l'un de nous deux mort, je vous défie après
1920 De tuer don César.

DON GURITAN
                          Sortons !
Ils sortent. On entend le bruit de leurs pas qui s'éloignent. Une petite porte masquée s'ouvre à droite dans le mur, et donne passage à don Salluste.

---

1. *Certe :* licence poétique.

Acte IV Scènes 3 à 5

LE RÈGNE DU QUIPROQUO

1. Ces trois scènes donnent lieu à trois duos qui sont autant de quiproquos. Ceux-ci tiennent-ils à l'ignorance des personnages, ou à leur méprise ? Quelle scène vous paraît la plus comique, et pourquoi ?

2. Dans les scènes 3 et 4, don César multiplie les apartés. Quelle est leur fonction ? Par quelles formules don César y souligne-t-il le rôle du hasard dans sa destinée ?

3. En quoi peut-on parler dans ces scènes de « théâtre dans le théâtre » ? Qu'est-ce qui définit l'art de don César, comédien ? En quoi reste-t-il pourtant conforme à son caractère ?

4. Quels procédés dans le dialogue et dans l'utilisation de l'alexandrin contribuent à donner une extraordinaire vivacité à ces scènes ? Montrez que le quiproquo ne découle pas seulement de la situation mais du jeu sur les noms et sur les mots. Quelle est la fonction des objets ?

L'ART DE LA CARICATURE

5. César est confronté successivement à un laquais, à une duègne et à don Guritan, le vieux majordome. Montrez que chacun de ces personnages incarne la servitude à un type et est une caricature. Relevez les formules de don César qui accusent les traits de cette caricature.

6. De quelle manière sont illustrées les différentes facettes du caractère de don César : le goût du plaisir et de l'aventure, la malice et la générosité ?

7. Don César est avant tout un être d'imagination, un être de liberté qui se joue du langage et de la société. Recherchez et analysez les passages où il offre une parodie du discours philosophique et moral, du discours religieux, des « sentiments bourgeois », du style galant et du grand style héroïque. Relevez quelques exemples des calembours et jeux de mots dont il émaille sa conversation. Étudiez, comme exemple du grotesque, les tirades des vers 1732 à 1760, en particulier, le pittoresque des portraits, le jeu des rimes et des sonorités, la personnification des inanimés, le contraste entre un vocabulaire réaliste et familier et un lexique plus noble.

SCÈNE 6.   DON SALLUSTE, *vêtu d'un habit vert sombre presque noir.*

Il paraît soucieux et préoccupé. Il regarde et écoute avec inquiétude.
                              Aucuns apprêts !
Apercevant la table chargée de mets.
Que veut dire ceci ?
Écoutant le bruit des pas de César et de Guritan.
                              Quel est donc ce tapage ?
Il se promène rêveur sur l'avant-scène.
Gudiel ce matin a vu sortir le page
Et l'a suivi. — Le page allait chez Guritan. —
Je ne vois pas Ruy Blas. — Et ce page... — Satan !
1925 C'est quelque contre-mine[1] ! oui, quelque avis fidèle
Dont il aura chargé don Guritan pour elle !
— On ne peut rien savoir des muets ! — C'est cela !
Je n'avais pas prévu ce don Guritan-là !
Rentre don César. Il tient à la main l'épée nue qu'il jette en entrant sur un fauteuil.

SCÈNE 7.   DON SALLUSTE, DON CÉSAR.

DON CÉSAR, *du seuil de la porte.*
Ah ! j'en étais bien sûr ! vous voilà donc, vieux diable !

DON SALLUSTE, *se retournant, pétrifié.*
1930 Don César !

DON CÉSAR, *croisant les bras avec un grand éclat de rire.*
                    Vous tramez quelque histoire effroyable !
Mais je dérange tout, pas vrai, dans ce moment ?
Je viens au beau milieu m'épater lourdement !

---

1. *Contre-mine :* mine creusée pour atteindre et détruire une mine de l'ennemi.

DON SALLUSTE, *à part.*

Tout est perdu !

DON CÉSAR, *riant.*
Depuis toute la matinée,
Je patauge à travers vos toiles d'araignée.
1935 Aucun de vos projets ne doit être debout.
Je m'y vautre au hasard. Je vous démolis tout.
C'est très réjouissant.

DON SALLUSTE, *à part.*
Démon ! qu'a-t-il pu faire ?

DON CÉSAR, *riant de plus en plus fort.*
Votre homme au sac d'argent, — qui venait pour l'affaire !
— Pour ce que vous savez ! — qui vous savez ! —
Il rit.
Parfait !

DON SALLUSTE
1940 Eh bien ?

DON CÉSAR
Je l'ai soûlé.

DON SALLUSTE
Mais l'argent qu'il avait ?

DON CÉSAR, *majestueusement.*
J'en ai fait des cadeaux à diverses personnes.
Dame ! on a des amis.

DON SALLUSTE
À tort tu me soupçonnes...
Je...

DON CÉSAR, *faisant sonner ses grègues*[1].
J'ai d'abord rempli mes poches, vous pensez.

---

1. *Ses grègues :* sa culotte.

Il se remet à rire.
Vous savez bien ? la dame !...

DON SALLUSTE
Oh !

DON CÉSAR, *qui remarque son anxiété.*

Que vous connaissez, —
Don Salluste écoute avec un redoublement d'angoisse. Don César
poursuit en riant.
1945 Qui m'envoie une duègne, affreuse compagnonne,
Dont la barbe fleurit et dont le nez trognonne[1]...

DON SALLUSTE

Pourquoi ?

DON CÉSAR

Pour demander, par prudence et sans bruit,
Si c'est bien don César qui l'attend cette nuit ?...

DON SALLUSTE

À part.
Ciel !
Haut.
Qu'as-tu répondu ?

DON CÉSAR
J'ai dit que oui, mon maître !

1950 Que je l'attendais !

DON SALLUSTE, *à part.*
Tout n'est pas perdu peut-être !

DON CÉSAR

Enfin votre tueur, votre grand capitan,
Qui m'a dit sur le pré[2] s'appeler — Guritan,
Mouvement de don Salluste.
Qui ce matin n'a pas voulu voir, l'homme sage,

---

1. *Fleurit ... trognonne :* jeu de mots sur les noms de Fleury et Trognon, auteurs
de manuels d'histoire très connus.
2. *Sur le pré :* sur le terrain du duel.

Un laquais de César lui portant un message,
1955 Et qui venait céans m'en demander raison.

DON SALLUSTE

Eh bien ! qu'en as-tu fait ?

DON CÉSAR

J'ai tué cet oison[1].

DON SALLUSTE

Vrai ?

DON CÉSAR

Vrai. Là, sous le mur, à cette heure il expire.

DON SALLUSTE

Es-tu sûr qu'il soit mort ?

DON CÉSAR

J'en ai peur.

DON SALLUSTE, *à part.*

Je respire !

Allons ! bonté du ciel ! il n'a rien dérangé !
1960 Au contraire. Pourtant donnons-lui son congé.
Débarrassons-nous-en ! Quel rude auxiliaire !
Pour l'argent, ce n'est rien.
Haut.

L'histoire est singulière.

Et vous n'avez pas vu d'autres personnes ?

DON CÉSAR

Non.

Mais j'en verrai. Je veux continuer. Mon nom,
1965 Je compte en faire éclat tout à travers la ville.
Je vais faire un scandale affreux. Soyez tranquille.

DON SALLUSTE

À part.
Diable !

---

1. *Oison :* petite oie.

Vivement et se rapprochant de don César.
　　　　Garde l'argent, mais quitte la maison !

Don César

Oui ? Vous me feriez suivre ! On sait votre façon.
Puis je retournerais, aimable destinée,
1970 Contempler ton azur, ô Méditerranée !
Point.

Don Salluste

　　Crois-moi.

Don César

　　　　　Non. D'ailleurs, dans ce palais-prison,
Je sens quelqu'un en proie à votre trahison.
Toute intrigue de cour est une échelle double[1].
D'un côté, bras liés, morne et le regard trouble,
1975 Monte le patient ; de l'autre, le bourreau.
— Or, vous êtes bourreau — nécessairement.

Don Salluste

　　　　　　　Oh !

Don César

Moi, je tire l'échelle, et patatras !

Don Salluste

　　　　　Je jure...

Don César

Je veux, pour tout gâter, rester dans l'aventure.
Je vous sais assez fort, cousin, assez subtil
1980 Pour pendre deux ou trois pantins au même fil.
Tiens ! j'en suis un ! Je reste !

Don Salluste
　　　　Écoute...

---

1. *Une échelle double :* l'échelle de la potence.

DON CÉSAR

Rhétorique[1].

Ah ! vous me faites vendre aux pirates d'Afrique !
Ah ! vous me fabriquez ici des faux César !
Ah ! vous compromettez mon nom !

DON SALLUSTE

Hasard !

DON CÉSAR

Hasard ?
1985 Mets que font les fripons pour les sots qui le mangent.
Point de hasard ! Tant pis si vos plans se dérangent !
Mais je prétends sauver ceux qu'ici vous perdez.
Je vais crier mon nom sur les toits.
Il monte sur l'appui de la fenêtre et regarde au dehors.
Attendez !
Juste ! des alguazils passent sous la fenêtre.
Il passe son bras à travers les barreaux, et l'agite en criant.
1990 Holà !

DON SALLUSTE, *effaré, sur le devant du théâtre.*

À part.
Tout est perdu s'il se fait reconnaître !
*Entrent des alguazils précédés d'un alcade. Don Salluste paraît en proie
à une vive perplexité. Don César va vers l'alcade d'un air de triomphe.*

SCÈNE 8.   Les mêmes, UN ALCADE,
DES ALGUAZILS.

DON CÉSAR, *à l'alcade.*
Vous allez consigner dans vos procès-verbaux...

1. *Rhétorique :* ici, au sens de discours creux.

189

DON SALLUSTE, *montrant don César, à l'alcade.*
Que voici le fameux voleur Matalobos !

DON CÉSAR, *stupéfait.*

Comment !

DON SALLUSTE, *à part.*
Je gagne tout en gagnant vingt-quatre heures.
À l'alcade.
Cet homme ose en plein jour entrer dans les demeures.
1995 Saisissez ce voleur.
Les alguazils saisissent don César au collet.

DON CÉSAR, *furieux, à don Salluste.*
Je suis votre valet[1],
Vous mentez hardiment !

L'ALCADE
Qui donc nous appelait ?

DON SALLUSTE

C'est moi.

DON CÉSAR
Pardieu ! c'est fort !

L'ALCADE
Paix ! je crois qu'il raisonne.

DON CÉSAR
Mais je suis don César de Bazan en personne !

DON SALLUSTE
Don César ? — Regardez son manteau, s'il vous plaît.
2000 Vous trouverez SALLUSTE écrit sur le collet.
C'est un manteau qu'il vient de me voler.
Les alguazils arrachent le manteau, l'alcade l'examine.

---

1. *Je suis votre valet :* cette formule de politesse est ici ironique.

L'ALCADE

C'est juste.

DON SALLUSTE

Et le pourpoint qu'il porte...

DON CÉSAR, *à part.*

Oh ! le damné Salluste !

DON SALLUSTE, *continuant.*

Il est au comte d'Albe, auquel il fut volé... —
Montrant un écusson brodé sur le parement de la manche gauche.
Dont voici le blason !

DON CÉSAR, *à part.*

Il est ensorcelé !

L'ALCADE, *examinant le blason.*

2005 Oui, les deux châteaux d'or...

DON SALLUSTE

Et puis, les deux chaudières[1].

Enriquez et Gusman.
En se débattant, don César fait tomber quelques doublons de ses poches.
Don Salluste montre à l'alcade la façon dont elles sont remplies.
Sont-ce là les manières
Dont les honnêtes gens portent l'argent qu'ils ont ?

L'ALCADE, *hochant la tête.*

Hum !

DON CÉSAR, *à part.*

Je suis pris !
Les alguazils le fouillent et lui prennent son argent.

UN ALGUAZIL, *fouillant.*

Voilà des papiers.

---

1. *Les deux châteaux d'or ... les deux chaudières* : éléments du blason de grandes familles espagnoles.

DON CÉSAR, *à part.*
                                        Ils y sont !
Oh ! pauvres billets doux sauvés dans mes traverses[1] !

L'ALCADE, *examinant les papiers.*
2010 Des lettres ?... qu'est cela ? — d'écritures diverses ?...

DON SALLUSTE, *lui faisant remarquer les suscriptions.*
Toutes au comte d'Albe !

L'ALCADE
Oui.

DON CÉSAR
Mais...

LES ALGUAZILS, *lui liant les mains.*
                                        Pris ! quel bonheur !

UN ALGUAZIL, *entrant, à l'alcade.*
Un homme est là qu'on vient d'assassiner, seigneur.

L'ALCADE
Quel est l'assassin ?

DON SALLUSTE, *montrant don César.*
                            Lui !

DON CÉSAR, *à part.*
                            Ce duel ! quelle équipée !

DON SALLUSTE
En entrant, il tenait à la main une épée.
2015 La voilà.

L'ALCADE, *examinant l'épée.*
        Du sang. — Bien.
À don César.
                            Allons, marche avec eux !

---

1. *Traverses* : mésaventures.

DON SALLUSTE,
à don César que les alguazils emmènent.
Bonsoir, Matalobos.

DON CÉSAR,
faisant un pas vers lui et le regardant fixement.
Vous êtes un fier gueux[1] !

---

1. *Un fier gueux :* un incroyable coquin.

Acte IV Scènes 6 à 8

LES TOILES D'ARAIGNÉE DE DON SALLUSTE

1. À l'arrivée de don Salluste (sc. 6), l'imbroglio semble total et tous les plans du maître de Ruy Blas paraissent bouleversés par le vrai don César. Pourquoi don Salluste peut-il néanmoins affirmer : « Allons ! bonté du ciel ! il n'a rien dérangé ! » (v. 1959) ? En quoi don César est-il finalement l'instrument d'un destin qui menace Ruy Blas et la reine ? En est-il conscient ? Citez le texte à l'appui de vos réponses.

2. Un nouveau quiproquo est à l'origine de l'arrestation de don César : en quoi est-il différent des précédents ? Récapitulez les preuves qui s'accumulent contre César. Pourquoi ne peut-il résister à don Salluste et faire reconnaître son identité ? Que nous apprend la scène 8 sur les pouvoirs respectifs du mensonge et de la vérité ? Dans cette scène, don César est vaincu, mais il a le dernier mot (v. 2016) : commentez-le.

3. Dans quelle mesure peut-on dire de don Salluste qu'il est un génial « metteur en scène » ?

Sur l'ensemble de l'acte IV

1. La plupart des scènes de l'acte IV apparaissent comme des reprises sur un autre mode de scènes précédentes. Ainsi la scène 5 entre don César et don Guritan reprend, dans un style bouffon, la scène 4 de l'acte II entre le même Guritan et Ruy Blas. Recherchez d'autres échos entre les scènes. En quoi ces rapprochements contribuent-ils au jeu des doubles (ex. : don César/Ruy Blas) si important dans le drame ?

2. Vous étudierez dans cet acte l'utilisation dramatique du lieu (lieu fermé/lieu ouvert ; espace libre/espace fatal), du temps (entre tension de l'attente et relâchement dans la détente) et des objets (de la consommation, de l'échange, de la manipulation, etc.).

3. Après la sortie de Ruy Blas, chaque personnage entrant en scène se présente comme un messager du destin. Qu'est-ce qui contribue à rendre confus le sentiment d'une fatalité ? Somme toute, l'acte IV est-il nécessaire à l'action ou n'est-il qu'une parenthèse comique dans le drame ?

4. L'acte IV s'intitule « don César ». Faites le bilan des différentes ambiguïtés du personnage en considérant son identité, son statut social, son discours, son rôle dans le drame. En quoi peut-on dire qu'il est un des principaux instruments de la satire sociale dans Ruy Blas ?

Acte V

Le tigre et le lion[1]

Même chambre. C'est la nuit. Une lampe est posée sur la table.
Au lever du rideau, Ruy Blas est seul. Une sorte de longue robe noire
cache ses vêtements.

SCÈNE 1. RUY BLAS, *seul.*

C'est fini. Rêve éteint ! Visions disparues !
Jusqu'au soir au hasard j'ai marché dans les rues.
J'espère en ce moment. Je suis calme. La nuit,
2020 On pense mieux. La tête est moins pleine de bruit.
Rien de trop effrayant sur ces murailles noires ;
Les meubles sont rangés, les clefs sont aux armoires.
Les muets sont là-haut qui dorment. La maison
Est vraiment bien tranquille. Oh ! oui, pas de raison
2025 D'alarme. Tout va bien. Mon page est très fidèle.
Don Guritan est sûr alors qu'il s'agit d'elle.
Ô mon Dieu ! n'est-ce pas que je puis vous bénir,
Que vous avez laissé l'avis lui parvenir.
Que vous m'avez aidé, vous Dieu bon, vous, Dieu juste,
2030 À protéger cet ange, à déjouer Salluste,
Qu'elle n'a rien à craindre, hélas ! rien à souffrir,
Et qu'elle est bien sauvée, — et que je puis mourir ?
Il tire de sa poitrine une petite fiole qu'il pose sur la table.
Oui, meurs maintenant, lâche ! et tombe dans l'abîme !

---

1. *Le tigre et le lion* : voir *Hernani* (III, 6) ; « J'étais grand, j'eusse été le lion de
Castille !/Vous m'en faites le tigre avec votre courroux » (vers 1218-1219).

Meurs comme on doit mourir quand on expie un crime !
2035 Meurs dans cette maison, vil, misérable et seul !
Il écarte sa robe noire sous laquelle on entrevoit la livrée qu'il portait au premier acte.
— Meurs avec ta livrée enfin sous ton linceul !
— Dieu ! si ce démon vient voir sa victime morte,
Il pousse un meuble de façon à barricader la porte secrète.
Qu'il n'entre pas du moins par cette horrible porte !
Il revient vers la table.
— Oh ! Le page a trouvé Guritan, c'est certain,
2040 Il n'était pas encor huit heures du matin.
Il fixe son regard sur la fiole.
— Pour moi, j'ai prononcé mon arrêt, et j'apprête
Mon supplice, et je vais moi-même sur ma tête
Faire choir du tombeau le couvercle pesant.
J'ai du moins le plaisir de penser qu'à présent
2045 Personne n'y peut rien. Ma chute est sans remède !
S'asseyant sur le fauteuil.
Elle m'aimait pourtant ! — Que Dieu me soit en aide !
Je n'ai pas de courage !
Il pleure.

                Oh ! l'on aurait bien dû
Nous laisser en paix !
Il cache sa tête dans ses mains et pleure à sanglots.
                Dieu !
Relevant la tête comme égaré, regardant la fiole.
                L'homme, qui m'a vendu
Ceci me demandait quel jour du mois nous sommes.
2050 Je ne sais pas. J'ai mal dans la tête. Les hommes
Sont méchants. Vous mourez, personne ne s'émeut.
Je souffre ! — Elle m'aimait ! — Et dire qu'on ne peut
Jamais rien ressaisir d'une chose passée ! —
Je ne la verrai plus ! — Sa main que j'ai pressée,
2055 Sa bouche qui toucha mon front... — Ange adoré !
Pauvre ange ! — Il faut mourir, mourir désespéré !
Sa robe où tous les plis contenaient de la grâce,
Son pied qui fait trembler mon âme quand il passe,
Son œil où s'enivraient mes yeux irrésolus,
2060 Son sourire, sa voix... — Je ne la verrai plus !

Je ne l'entendrai plus ! — Enfin c'est donc possible ?
Jamais !
Il avance avec angoisse sa main vers la fiole ; au moment où il la saisit
convulsivement, la porte du fond s'ouvre. La reine paraît, vêtue de blanc,
avec une mante[1] de couleur sombre, dont le capuchon, rejeté sur ses
épaules, laisse voir sa tête pâle. Elle tient une lanterne sourde à la main,
elle la pose à terre, et marche rapidement vers Ruy Blas.

SCÈNE 2.   RUY BLAS, LA REINE.

La reine, *entrant.*

Don César !

Ruy Blas, *se retournant avec un mouvement d'épouvante*
et fermant précipitamment la robe qui cache sa livrée.
Dieu ! c'est elle ! — Au piège horrible

Elle est prise !
Haut

Madame... !

La reine
Eh bien ! quel cri d'effroi !

César...

Ruy Blas
Qui vous a dit de venir ici ?

La reine
Toi.

Ruy Blas

2065 Moi ? — Comment ?

---

1. *Mante :* manteau à capuchon et sans manches.

LA REINE
J'ai reçu de vous...

RUY BLAS, *haletant*
Parlez donc vite !

LA REINE

Une lettre.

RUY BLAS

De moi ?

LA REINE
De votre main écrite.

RUY BLAS
Mais c'est à se briser le front contre le mur !
Mais je n'ai pas écrit, pardieu ! j'en suis bien sûr !

LA REINE, *tirant de sa poitrine un billet qu'elle lui présente.*
Lisez donc.
Ruy Blas prend la lettre avec emportement, se penche vers la lampe et lit.

RUY BLAS, *lisant.*
« Un danger terrible est sur ma tête
2070 Ma reine seule peut conjurer la tempête...
Il regarde la lettre avec stupeur, comme ne pouvant aller plus loin.

LA REINE, *continuant, et lui montrant du doigt la ligne qu'elle lit.*
En venant me trouver ce soir dans ma maison.
Sinon, je suis perdu.

RUY BLAS, *d'une voix éteinte.*
Ho ! quelle trahison !
Ce billet !

LA REINE, *continuant de lire.*
Par la porte au bas de l'avenue,
Vous entrerez la nuit sans être reconnue.
2075 Quelqu'un de dévoué vous ouvrira. »

RUY BLAS, *à part.*
J'avais
Oublié ce billet.

À la reine, d'une voix terrible.
Allez-vous-en !

LA REINE
Je vais

M'en aller, don César. Ô mon Dieu, que vous êtes
Méchant ! Qu'ai-je donc fait ?

RUY BLAS
Ô ciel ! ce que vous faites ?

Vous vous perdez !

LA REINE
Comment ?

RUY BLAS
Je ne puis l'expliquer.

2080 Fuyez vite.

LA REINE
J'ai même, et pour ne rien manquer,

Eu le soin d'envoyer ce matin une duègne...

RUY BLAS

Dieu ! — mais à chaque instant, comme d'un cœur qui saigne,
Je sens que votre vie à flots coule et s'en va.
Partez !

LA REINE, *comme frappée d'une idée subite.*
Le dévouement que mon amour rêva

2085 M'inspire. Vous touchez à quelque instant funeste.
Vous voulez m'écarter de vos dangers ! — Je reste.

RUY BLAS

Ah ! Voilà, par exemple, une idée ! Ô mon Dieu !
Rester à pareille heure et dans un pareil lieu !

LA REINE

La lettre est bien de vous. Ainsi...

RUY BLAS, *levant les bras au ciel de désespoir.*
Bonté divine !

LA REINE

2090 Vous voulez m'éloigner.

199

RUY BLAS, *lui prenant les mains.*
Comprenez !

LA REINE
Je devine.
Dans le premier moment vous m'écrivez, et puis...

RUY BLAS
Je ne t'ai pas écrit. Je suis un démon. Fuis !
Mais c'est toi, pauvre enfant, qui te prends dans un piège !
Mais c'est vrai ; mais l'enfer de tous côtés t'assiège !
2095 Pour te persuader je ne trouve donc rien ?
Écoute, comprends donc, je t'aime, tu sais bien.
Pour sauver ton esprit de ce qu'il imagine,
Je voudrais arracher mon cœur de ma poitrine !
Oh ! je t'aime. Va-t'en !

LA REINE
Don César...

RUY BLAS
Oh ! va-t'en !
2100 — Mais, j'y songe, on a dû t'ouvrir ?

LA REINE
Mais oui.

RUY BLAS
Satan !
Qui ?

LA REINE
Quelqu'un de masqué, caché par la muraille.

RUY BLAS
Masqué ! Qu'a dit cet homme ? est-il de haute taille ?
Cet homme, quel est-il ? Mais parle donc ! j'attends !
Un homme en noir et masqué paraît à la porte du fond.

L'HOMME MASQUÉ
C'est moi !
*Il ôte son masque. C'est don Salluste. La reine et Ruy Blas le
reconnaissent avec terreur.*

Acte V Scènes 1 et 2

ILLUSIONS PERDUES

1. L'acte s'ouvre de manière significative sur un nouveau monologue de Ruy Blas, qui se sent « vil, misérable et seul » (v. 2035) : en vous appuyant sur des éléments précis du texte, justifiez l'emploi de chacun de ces adjectifs. Comparez ce monologue et celui de la scène 1 de l'acte IV ; quelle évolution du personnage de Ruy Blas peut-on mesurer ?

2. Montrez que Ruy Blas porte le deuil de ses propres rêves et de sa propre mort. Quelles images préfigurent celle-ci ? Quelle illusion demeure cependant, chez le héros, jusqu'à l'arrivée de la reine ?

3. En examinant les didascalies de la scène 1, et notamment les indications concernant les gestes du héros, étudiez les signes de son déchirement et de son désespoir. En quoi peut-on parler de dédoublement chez Ruy Blas entre le juge et le coupable, la victime et le bourreau ? Quels éléments du texte suggèrent une gradation dans le pathétique jusqu'au tragique (étudiez en particulier le jeu des temps dans les v. 2052-2062).

LE BLANC ET LE NOIR

4. Étudiez la transition entre la scène 1 et la scène 2 en montrant que les vers 2052 à 2062 préparent l'arrivée de la reine sans amoindrir l'intensité de ce coup de théâtre.

5. Expliquez le symbolisme de la nuit et de la lumière, du blanc et du noir, dans ces deux scènes.

6. Montrez que, dans la scène 2, l'intensité dramatique croît en proportion du malentendu qui s'installe entre la reine et Ruy Blas. Quel est le symbole de ce malentendu ? Comment se traduisent l'impuissance de Ruy Blas à le dissiper et les contradictions du héros ? En quoi peut-on parler de « quiproquo tragique » ?

SCÈNE 3. *Les mêmes,* DON SALLUSTE.

RUY BLAS
Grand Dieu ! — Fuyez, madame !

DON SALLUSTE
Il n'est plus temps.
2105 Madame de Neubourg n'est plus reine d'Espagne.

LA REINE, *avec horreur.*
Don Salluste !

DON SALLUSTE, *montrant Ruy Blas.*
À jamais vous êtes la compagne
De cet homme.

LA REINE
Grand Dieu ! c'est un piège en effet !
Et don César...

RUY BLAS, *désespéré.*
Madame, hélas ! qu'avez-vous fait ?

DON SALLUSTE, *s'avançant à pas lents vers la reine.*
Je vous tiens. — Mais je vais parler, sans lui déplaire,
2110 À votre majesté, car je suis sans colère.
Je vous trouve, — écoutez, ne faisons pas de bruit, —
Seule avec don César, dans sa chambre, à minuit.
Ce fait, — pour une reine, — étant public, en somme,
Suffit pour annuler le mariage à Rome.
2115 Le saint-père en serait informé promptement.
Mais on supplée au fait par le consentement.
Tout peut rester secret.
Il tire de sa poche un parchemin qu'il déroule et qu'il présente à la reine.
Signez-moi cette lettre
Au seigneur notre roi. Je la ferai remettre
Par le grand écuyer au notaire mayor[1].

---

1. *Mayor* : en chef.

2120 Ensuite, — une voiture, où j'ai mis beaucoup d'or,
Désignant le dehors.
Est là. — Partez tous deux sur-le-champ. Je vous aide.
Sans être inquiétés, vous pourrez par Tolède
Et par Alcantara gagner le Portugal.
Allez où vous voudrez, cela nous est égal.
2125 Nous fermerons les yeux. — Obéissez. Je jure
Que seul en ce moment je connais l'aventure ;
Mais si vous refusez, Madrid sait tout demain.
Ne nous emportons pas. Vous êtes dans ma main.
Montrant la table sur laquelle il y a une écritoire.
Voilà tout ce qu'il faut pour écrire, madame.

LA REINE,
atterrée, tombant sur le fauteuil.
2130 Je suis en son pouvoir !

DON SALLUSTE
De vous je ne réclame
Que ce consentement pour le porter au roi.
Bas, à Ruy Blas, qui écoute tout immobile et comme frappé de la
foudre.
Laisse-moi faire, ami, je travaille pour toi !
À la reine.
Signez.

LA REINE, *tremblante, à part.*
Que faire ?

DON SALLUSTE, *se penchant à son oreille*
et lui présentant une plume.
Allons ! qu'est-ce qu'une couronne ?
Vous gagnez le bonheur si vous perdez le trône.
2135 Tous mes gens sont restés dehors. On ne sait rien
De ceci. Tout se passe entre nous trois.
Essayant de lui mettre la plume entre les doigts sans qu'elle la repousse
ni la prenne.
Eh bien ?
La reine, indécise et égarée le regarde avec angoisse.
Si vous ne signez point, vous vous frappez vous-même.
Le scandale et le cloître !

LA REINE, *accablée.*

Ô Dieu !

DON SALLUSTE, *montrant Ruy Blas.*

César vous aime.

Il est digne de vous. Il est, sur mon honneur,
2140 De fort grande maison. Presque un prince. Un seigneur
Ayant donjon sur roche et fief dans la campagne[1].
Il est duc d'Olmedo, Bazan, et grand d'Espagne...
Il pousse sur le parchemin la main de la reine éperdue et tremblante, et qui semble prête à signer.

RUY BLAS, *comme se réveillant tout à coup.*

Je m'appelle Ruy Blas, et je suis un laquais !
Arrachant des mains de la reine la plume et le parchemin qu'il déchire.
Ne signez pas, madame ! — Enfin ! — Je suffoquais !

LA REINE

2145 Que dit-il ? Don César !

RUY BLAS,
*laissant tomber sa robe et se montrant vêtu
de la livrée ; sans épée.*

Je dis que je me nomme
Ruy Blas, et que je suis le valet de cet homme !
Se retournant vers don Salluste.
Je dis que c'est assez de trahison ainsi,
Et que je ne veux pas de mon bonheur ! — Merci !
— Ah ! vous avez eu beau me parler à l'oreille !
2150 Je dis qu'il est bien temps qu'enfin je me réveille ! —
Quoique tout garrotté[2] dans vos complots hideux,
Et que je n'irai pas plus loin, et qu'à nous deux,

---

1. *Donjon sur roche et fief dans la campagne :* signes de la puissance
seigneuriale.
2. *Garrotté :* serré au cou par un garrot (bâton assujetti par une corde et
instrument des exécutions capitales en Espagne).

Monseigneur, nous faisons un assemblage infâme,
J'ai l'habit d'un laquais, et vous en avez l'âme !

Don Salluste, *à la reine, froidement.*

2155 Cet homme est en effet mon valet.
À Ruy Blas avec autorité.

Plus un mot.

La reine, *laissant enfin échapper un cri de désespoir
et se tordant les mains.*

Juste ciel !

Don Salluste, *poursuivant.*

Seulement il a parlé trop tôt.
Il croise les bras et se redresse, avec une voix tonnante.
Eh bien, oui ! maintenant disons tout. Il n'importe !
Ma vengeance est assez complète de la sorte.
À la reine.
Qu'en pensez-vous ? Madrid va rire, sur ma foi !

2160 Ah ! vous m'avez cassé ! je vous détrône, moi.
Ah ! vous m'avez banni ! je vous chasse, et m'en vante !
Ah ! vous m'avez pour femme offert votre suivante !
Il éclate de rire.
Moi, je vous ai donné mon laquais pour amant.
Vous pourrez l'épouser aussi ! certainement.

2165 Le roi s'en va ! — Son cœur sera votre richesse,
Il rit.
Et vous l'aurez fait duc afin d'être duchesse !
Grinçant des dents.
Ah ! vous m'avez brisé, flétri, mis sous vos pieds,
Et vous dormiez en paix, folle que vous étiez !
*Pendant qu'il a parlé, Ruy Blas est allé à la porte du fond et en a poussé
le verrou, puis il s'est approché de lui sans qu'il s'en soit aperçu, par
derrière, à pas lents. Au moment où don Salluste achève, fixant des yeux
pleins de haine et de triomphe sur la reine anéantie, Ruy Blas saisit
l'épée du marquis par la poignée et la tire vivement.*

Ruy Blas, *terrible, l'épée de don Salluste à la main.*

Je crois que vous venez d'insulter votre reine !
Don Salluste se précipite vers la porte. Ruy Blas la lui barre.

205

2170 — Oh ! n'allez point par là, ce n'en est pas la peine,
J'ai poussé le verrou depuis longtemps déjà. —
Marquis, jusqu'à ce jour Satan te protégea,
Mais, s'il veut t'arracher de mes mains, qu'il se montre !
— À mon tour ! — On écrase un serpent qu'on rencontre.
2175 — Personne n'entrera, ni tes gens, ni l'enfer !
Je te tiens écumant sous mon talon de fer !
— Cet homme vous parlait insolemment, madame ?
Je vais vous expliquer. Cet homme n'a point d'âme,
C'est un monstre. En riant hier il m'étouffait.
2180 Il m'a broyé le cœur à plaisir. Il m'a fait
Fermer une fenêtre, et j'étais au martyre !
Je priais ! je pleurais ! je ne peux pas vous dire !
Au marquis.
Vous contiez vos griefs dans ces derniers moments.
Je ne répondrai pas à vos raisonnements,
2185 Et d'ailleurs — je n'ai pas compris. — Ah ! misérable !
Vous osez, — votre reine ! une femme adorable !
Vous osez l'outrager quand je suis là ! — Tenez,
Pour un homme d'esprit, vraiment, vous m'étonnez !
Et vous vous figurez que je vous verrai faire
2190 Sans rien dire ! — Écoutez, quelle que soit sa sphère,
Monseigneur, lorsqu'un traître, un fourbe tortueux,
Commet de certains faits rares et monstrueux,
Noble ou manant, tout homme a droit, sur son passage,
De venir lui cracher sa sentence au visage,
2195 Et de prendre une épée, une hache, un couteau !... —
Pardieu ! j'étais laquais ! quand je serais bourreau ?

LA REINE

Vous n'allez pas frapper cet homme ?

RUY BLAS

Je me blâme
D'accomplir devant vous ma fonction, madame.
Mais il faut étouffer cette affaire en ce lieu.
Il pousse don Salluste vers le cabinet.
2200 C'est dit, monsieur ! allez là-dedans prier Dieu !

DON SALLUSTE

C'est un assassinat !

206

RUY BLAS
Crois-tu ?

DON SALLUSTE, *désarmé, et jetant un regard*
plein de rage autour de lui.
Sur ces murailles

Rien ! pas d'arme !
À Ruy Blas.
Une épée au moins !

RUY BLAS
Marquis ! tu railles !
Maître ! est-ce que je suis un gentilhomme, moi ?
Un duel ! fi donc ! je suis un de tes gens à toi,
2205 Valetaille de rouge et de galons vêtue,
Un maraud qu'on châtie et qu'on fouette, — et qui tue.
Oui, je vais te tuer, monseigneur, vois-tu bien ?
Comme un infâme ! comme un lâche ! comme un chien !

LA REINE
Grâce pour lui !

RUY BLAS, *à la reine, saisissant le marquis.*
Madame, ici chacun se venge.
2210 Le démon ne peut plus être sauvé par l'ange !

LA REINE, *à genoux.*
Grâce !

DON SALLUSTE, *appelant.*
Au meurtre ! au secours !

RUY BLAS, *levant l'épée.*
As-tu bientôt fini ?

DON SALLUSTE, *se jetant sur lui en criant.*
Je meurs assassiné ! Démon !

RUY BLAS, *le poussant dans le cabinet.*
Tu meurs puni !
Ils disparaissent dans le cabinet, dont la porte se referme sur eux.

LA REINE, *restée seule, tombant demi-morte sur le fauteuil.*
Ciel !
Un moment de silence. Rentre Ruy Blas, pâle, sans épée.

207

SCÈNE 4. LA REINE, RUY BLAS.

*Ruy Blas fait quelques pas en chancelant vers la reine immobile et
glacée, puis il tombe à deux genoux, l'œil fixé à terre, comme s'il n'osait
lever les yeux jusqu'à elle.*

RUY BLAS, *d'une voix grave et basse.*

Maintenant, madame, il faut que je vous dise.
— Je n'approcherai pas. — Je parle avec franchise.
2215 Je ne suis point coupable autant que vous croyez.
Je sens, ma trahison, comme vous la voyez,
Doit vous paraître horrible... Oh ! ce n'est pas facile
À raconter. Pourtant je n'ai pas l'âme vile.
Je suis honnête au fond. — Cet amour m'a perdu. —
2220 Je ne me défends pas, je sais bien, j'aurais dû
Trouver quelque moyen. La faute est consommée !
— C'est égal, voyez-vous, je vous ai bien aimée.

LA REINE

Monsieur...

RUY BLAS, *toujours à genoux.*

N'ayez pas peur, je n'approcherai point.
À votre majesté je vais de point en point
2225 Tout dire. Oh ! croyez-moi, je n'ai pas l'âme vile ! —
Aujourd'hui tout le jour j'ai couru par la ville
Comme un fou. Bien souvent on m'a regardé.
Auprès de l'hôpital que vous avez fondé,
J'ai senti vaguement, à travers mon délire,
2230 Une femme du peuple essuyer sans rien dire
Les gouttes de sueur qui tombaient de mon front[1].
Ayez pitié de moi, mon Dieu ! mon cœur se rompt !

LA REINE

Que voulez-vous ?

---

1. Véronique essuie ainsi le front du Christ marchant au supplice.

RUY BLAS, *joignant les mains.*
Que vous me pardonniez, madame !

LA REINE

Jamais !

RUY BLAS

Jamais !
Il se lève et marche lentement vers la table.
Bien sûr ?

LA REINE
Non. Jamais !

RUY BLAS
Il prend la fiole posée sur la table, la porte à ses lèvres et la vide d'un trait.
Triste flamme,

2235 Éteins-toi !

LA REINE, *se levant et courant vers lui.*
Que fait-il ?

RUY BLAS, *posant la fiole.*
Rien. Mes maux sont finis.
Rien. Vous me maudissez, et moi je vous bénis.
Voilà tout.

LA REINE, *éperdue.*
Don César !

RUY BLAS
Quand je pense, pauvre ange,
Que vous m'avez aimé !

LA REINE
Quel est ce philtre étrange ?
Qu'avez-vous fait ? Dis-moi ! réponds-moi ! parle-moi !
2240 César ! je te pardonne et t'aime et je te croi[1] !

---

1. *Je te croi* : licence poétique.

209

RUY BLAS

Je m'appelle Ruy Blas.

LA REINE, *l'entourant de ses bras.*

Ruy Blas, je vous pardonne !
Mais qu'avez-vous fait là ? Parle, je te l'ordonne !
Ce n'est pas du poison, cette affreuse liqueur ?
Dis ?

RUY BLAS

Si ! C'est du poison. Mais j'ai la joie au cœur.
Tenant la reine embrassée et levant les yeux au ciel.
2245 Permettez, ô mon Dieu ! justice souveraine !
Que ce pauvre laquais bénisse cette reine,

Ruy Blas (Lambert Wilson) et la reine (Florence Darel)
dans une mise en scène de Georges Wilson aux Bouffes du Nord.

Car elle a consolé mon cœur crucifié,
Vivant, par son amour, mourant, par sa pitié !

LA REINE

Du poison ! Dieu ! c'est moi qui l'ai tué ! Je t'aime !
2250 Si j'avais pardonné ?...

RUY BLAS, *défaillant.*
J'aurais agi de même.

Sa voix s'éteint. La reine le soutient dans ses bras.
Je ne pouvais plus vivre. Adieu !
Montrant la porte.

Fuyez d'ici !

— Tout restera secret. — Je meurs.
Il tombe.

LA REINE, *se jetant sur son corps.*
Ruy Blas !

RUY BLAS, *qui allait mourir, se réveille à son nom
prononcé par la reine.*

Merci !

Vicror Hugo (signature)

Acte V Scènes 3 et 4

DE LA VENGEANCE À LA RÉVOLTE

1. La scène 3 réunit les trois protagonistes essentiels du drame dans une ultime explication. Elle correspond symétriquement aux scènes 4 et 5 de l'acte I, où Salluste mettait en mouvement sa « machine infernale ». Montrez que cette scène est construite en deux mouvements opposés.

2. Comment Salluste affirme-t-il son désir de vengeance et sa volonté de puissance ? Comment Ruy Blas déjoue-t-il ses plans ? Quelle erreur commet le maître ? À travers quels gestes et quelles répliques s'affirme la révolte du héros ? Montrez qu'elle acquiert une dimension sociale dans les vers 2202 à 2208. En quoi peut-on parler d'une revanche du valet ? (Confrontez cette scène et la scène 5 de l'acte III.) Relevez les marques de l'ironie dans le discours de Ruy Blas.

3. Ruy Blas dénoue le pacte diabolique qui le liait à don Salluste en dévoilant sa livrée : expliquez ce paradoxe.

4. L'arme du châtiment du traître est sa propre épée : commentez ce détail symbolique.

DE LA MALÉDICTION À LA BÉNÉDICTION

5. Le mot « Jamais » prononcé d'abord par Ruy Blas (v. 2062) puis par la reine (v. 2234) marque la fatalité du destin du héros. Expliquez en quoi. Quel symbole de cette fatalité apparaît dans cette scène comme dans la première scène de l'acte ? Pourquoi le suicide de Ruy Blas est-il inévitable ? Comparez le dénouement de *Ruy Blas* et celui d'*Hernani* en montrant qu'une fatalité sociale s'est substituée à la fatalité métaphysique du drame de 1830.

6. Au vers 2236, le héros oppose les verbes « maudire » et « bénir ». Relevez d'autres termes du langage religieux et montrez que la destinée de Ruy Blas se joue entre malédiction et bénédiction, offense et pardon, exclusion et reconnaissance, sacrifice et rédemption. Quel est le sens de la prière adressée par Ruy Blas à la reine ? Quelle valeur prend l'amour de celle-ci pour le héros ? Commentez l'hésitation sur les noms propres et sur les pronoms de la première personne (du singulier et du pluriel) dans le dialogue des vers 2236 à 2244 ? Quelle

signification donner à l'ultime sursaut de Ruy Blas et au dernier mot de la pièce, « Merci » (v. 2252) ?

7. Étudiez le langage de l'émotion et de la passion dans cette dernière scène : lexique des sentiments, rhétorique de la prière, modalités exclamatives et interrogatives, rythme brisé des vers 2238 à 2240, 2250 à 2252, expressivité des gestes.

Ensemble de l'acte V

1. Expliquez le sens de la métaphore animale qui donne son titre à cet acte (« Le Tigre et le Lion »). Quel enseignement peut-on tirer de cette « fable » en ce qui concerne les relations entre Ruy Blas et don Salluste ?

2. Ruy Blas, après avoir été un homme d'État, un homme public (acte III), meurt dans le secret, sous la livrée d'un valet : en quoi ce dénouement symbolise-t-il l'ambiguïté de la destinée du héros ? Peut-on parler pour lui d'un échec total ? Comparez la fin de *Ruy Blas* (le meurtre de don Salluste et le suicide du héros) et le dénouement de *Lorenzaccio*, de Musset (1834), ou celui de *Chatterton*, de Vigny (1835).

3. L'amour impossible est un thème romantique privilégié : montrez que le couple formé par Ruy Blas et la reine rejoint les « couples maudits » qui hantent le théâtre de Hugo (*Hernani, Marion Delorme*, etc.). Quel visage prend la passion amoureuse dans le dénouement de *Ruy Blas* ?

4. Étudiez les procédés et les situations du mélodrame dans ce dénouement : le châtiment du « méchant », la reconnaissance du « juste », l'appel à l'émotion par la multiplication des coups de théâtre et les puissants effets du pathétique, l'utilisation de l'espace et la concentration dans le temps. En quoi peut-on dire que le schématisme du mélodrame est dépassé par la complexité des significations dans *Ruy Blas* ?

5. En examinant la totalité de la pièce, montrez comment les deux actions (celle de Ruy Blas et celle de don Salluste) présentées dans le premier acte se rejoignent dans le dernier.

213

Note[1]

Il est arrivé à l'auteur de voir représenter en province *Angelo, tyran de Padoue,* par des acteurs qui prononçaient *Tisbe, Dafne*[2], fort satisfaisants, du reste, sous d'autres rapports. Il lui paraît donc utile d'indiquer ici, pour ceux qui pourraient l'ignorer,
5 que dans les noms espagnols et italiens, les *e* doivent se prononcer *é*. Quand on lit *Teve, Camporeal, Oñate,* il faut dire *Tévé, Camporéal, Ognaté.* Après cette observation, qui s'adresse particulièrement aux régisseurs des théâtres de province où l'on pourrait monter *Ruy Blas,* l'auteur croit à propos d'expliquer,
10 pour le lecteur, deux ou trois mots spéciaux employés dans ce drame. Ainsi *almojarifazgo*[3] est le mot arabe par lequel on désignait, dans l'ancienne monarchie espagnole, le tribut de cinq pour cent que payaient au roi toutes les marchandises qui allaient d'Espagne aux Indes ; ainsi l'impôt des *ports secs*[4] signifie
15 le droit de douane des villes frontières. Du reste, et cela va sans dire, il n'y a pas dans *Ruy Blas* un détail de vie privée ou publique, d'intérieur, d'ameublement, de blason, d'étiquette[5], de biographie, de chiffre, ou de topographie, qui ne soit scrupuleusement exact. Ainsi, quand le comte de Camporeal
20 dit[6] : *La maison de la reine, ordinaire et civile, coûte par an six cent soixante-quatre mille soixante-six ducats,* on peut consulter *Solo Madrid es corte*[7], on y trouvera cette somme pour le règne de Charles II, sans un maravedi[8] de plus ou de moins. Quand don

---

1. Cette note de Hugo a été écrite en 1838 à la suite de la représentation de *Ruy Blas.*
2. *Angelo, tyran de Padoue* est le titre d'un drame de 1835. Tisbe et Dafne sont des personnages de cette pièce.
3. *Almojarifazgo* : voir acte III, v. 1042.
4. *Ports secs* : voir v. 1047.
5. *Étiquette* : règles du cérémonial de la cour.
6. Voir les vers 1017 à 1019.
7. *Solo Madrid es corte* : *Seul Madrid est une cour,* ouvrage d'Alunzo Nuñez de Castro.
8. *Maravedi* : ancienne petite monnaie espagnole.

Salluste dit[1] : *Sandoval porte d'or à la bande de sable,* on n'a qu'à
recourir au registre de la grandesse[2] pour s'assurer que don
Salluste ne change rien au blason de Sandoval. Quand le laquais
du quatrième acte dit[3] : *L'or est en souverains, bons quadruples*
pesant sept gros trente-six grains, ou bons doublons au marc, on peut
ouvrir le livre des monnaies publié sous Philippe IV, *en la*
imprenta real[4]. De même pour le reste. L'auteur pourrait
multiplier à l'infini ce genre d'observations, mais on comprendra
qu'il s'arrête ici. Toutes ses pièces pourraient être escortées d'un
volume de notes dont il se dispense et dont il dispense le lecteur.
Il l'a déjà dit ailleurs[5], et il espère qu'on s'en souvient peut-être,
à *défaut de talent, il a la conscience.* Et cette conscience, il veut la
porter en tout, dans les petites choses comme dans les grandes,
dans la citation d'un chiffre comme dans la peinture des cœurs et
des âmes, dans le dessin d'un blason comme dans l'analyse des
caractères et des passions. Seulement, il croit devoir maintenir
rigoureusement chaque chose dans sa proportion, et ne jamais
souffrir que le petit détail sorte de sa place. Les petits détails
d'histoire et de vie domestique doivent être scrupuleusement
étudiés et reproduits par le poète, mais uniquement comme des
moyens d'accroître la réalité de l'ensemble, et de faire pénétrer
jusque dans les coins les plus obscurs de l'œuvre cette vie
générale et puissante au milieu de laquelle les personnages sont
plus vrais et les catastrophes, par conséquent, plus poignantes.
Tout doit être subordonné à ce but. L'homme sur le premier
plan, le reste au fond.

Pour en finir avec les observations minutieuses, notons encore
en passant que Ruy Blas, au théâtre, dit[6] (acte III) : Monsieur de
Priego, *comme sujet du roi,* etc., et que dans le livre il dit : *comme*
noble du roi. Le livre donne l'expression juste. En Espagne, il y
avait deux espèces de nobles, *les nobles du royaume,* c'est-à-dire

---

1. Voir le vers 1330.
2. *Registre de la grandesse* : registre des grands d'Espagne.
3. Voir les vers 1683 à 1685.
4. *En la imprenta real* : à l'imprimerie royale.
5. Dans la préface de *Marie Tudor.*
6. Voir le vers 1336.

55 tous les gentilshommes, et les *nobles du roi,* c'est-à-dire les
grands d'Espagne. Or, M. de Priego est grand d'Espagne, et, par
conséquent, noble du roi. Mais l'expression aurait pu paraître
obscure à quelques spectateurs peu lettrés ; et, comme au
théâtre deux ou trois personnes qui ne comprennent pas se
60 croient parfois le droit de troubler deux mille personnes qui
comprennent, l'auteur a fait dire à Ruy Blas *sujet du roi* pour *noble
du roi,* comme il avait déjà fait dire à Angelo Malipieri[1] la *croix
rouge* au lieu de la *croix de gueules.* Il en offre ici toutes ses excuses
aux spectateurs intelligents.

65   Maintenant, qu'on lui permette d'accomplir un devoir qui est
pour lui un plaisir, c'est-à-dire d'adresser un remerciement
public à cette troupe excellente qui vient de se révéler tout à
coup par *Ruy Blas* au public parisien dans la belle salle
Ventadour[2], et qui a tout à la fois l'éclat des troupes neuves et
70 l'ensemble des troupes anciennes. Il n'est pas un personnage de
cette pièce, si petit qu'il soit, qui ne soit remarquablement bien
représenté, et plusieurs des rôles secondaires laissent entrevoir
aux connaisseurs, par des ouvertures trop étroites à la vérité, des
talents fort distingués. Grâce, en grande partie, à cette troupe si
75 intelligente et si bien faite, de hautes destinées attendent, nous
n'en doutons pas, ce magnifique théâtre, déjà aussi royal[3]
qu'aucun des théâtres royaux, et plus utile aux lettres qu'aucun
des théâtres subventionnés.

   Quant à nous, pour nous borner aux rôles principaux,
80 félicitons M. Féréol de cette science d'excellent comédien avec
laquelle il a reproduit la figure chevaleresque et gravement
bouffonne de don Guritan. Au XVIIᵉ siècle, il restait encore en
Espagne quelques don Quichotte[4] malgré Cervantes. M. Féréol
s'en est spirituellement souvenu.

---

1. Dans *Angelo, tyran de Padoue.*
2. *La belle salle Ventadour :* au théâtre de la Renaissance, où *Ruy Blas* fut le
spectacle d'ouverture.
3. *Déjà aussi royal :* le théâtre de la Renaissance, ouvert grâce à l'appui du
jeune duc d'Orléans et à la volonté de Hugo et de Dumas, était en concurrence
avec la Comédie-Française.
4. *Don Quichotte :* Guritan partage en effet avec le héros de Cervantès une
sorte de folie batailleuse et amoureuse.

85 M. Alexandre Mauzin a supérieurement compris et composé don Salluste. Don Salluste, c'est Satan, mais c'est Satan grand d'Espagne de première classe ; c'est l'orgueil du démon sous la fierté du marquis ; du bronze sous de l'or ; un personnage poli, sérieux, contenu, sobrement railleur, froid, lettré, homme du
90 monde, avec des éclairs infernaux. Il faut à l'acteur qui aborde ce rôle, et c'est ce que tous les connaisseurs ont trouvé dans M. Alexandre, une manière tranquille, sinistre et grande, avec deux explosions terribles, l'une au commencement, l'autre à la fin.

95 Le rôle de don César a naturellement eu beaucoup d'aventures dont les journaux et les tribunaux ont entretenu le public. En somme, le résultat a été le plus heureux du monde. Don César a fort cavalièrement pris au boulevard et fort légitimement donné à la comédie un bien qui lui appartenait, c'est-à-dire le talent
100 vrai, fin, souple, charmant, irrésistiblement gai et singulièrement littéraire de M. Saint-Firmin.

La reine est un ange, et la reine est une femme. Le double aspect de cette chaste figure a été reproduit par Mademoiselle Louise Beaudouin avec une intelligence rare et exuise. Au
105 cinquième acte, Marie de Neubourg repousse le laquais et s'attendrit sur le mourant ; reine devant la faute, elle redevient femme devant l'expiation. Aucune de ces nuances n'a échappé à Mademoiselle Beaudoin qui s'est élevée très-haut dans ce rôle. Elle a eu la pureté, la dignité et le pathétique.

110 Quant à M. Frédérick Lemaître[1], qu'en dire ? Les acclamations enthousiastes de la foule le saisissent à son entrée en scène et le suivent jusqu'après le dénouement. Rêveur et profond au premier acte, mélancolique au deuxième, grand, passionné et sublime au troisième, il s'élève au cinquième acte à l'un de ces
115 prodigieux effets tragiques du haut desquels l'acteur rayonnant domine tous les souvenirs de son art. Pour les vieillards, c'est Lekain[2] et Garrick[3] mêlés dans un seul homme ; pour nous,

---

1. Frédérick Lemaître était alors le grand acteur du mélodrame.
2. *Lekain* : le grand acteur des tragédies au XVIIIe siècle.
3. *Garrick* : célèbre acteur anglais du XVIIIe siècle, génial interprète de Shakespeare.

contemporains, c'est l'action de Kean[1] combinée avec l'émotion de Talma[2]. Et puis, partout, à travers les éclairs éblouissants de son jeu, M. Frédérick a des larmes, de ces vraies larmes qui font pleurer les autres, de ces larmes dont parle Horace, *Si vis me flere, dolendum est primum ipse tibi*[3]. Dans *Ruy Blas*, M. Frédérick réalise pour nous l'idéal du grand acteur. Il est certain que toute sa vie de théâtre, le passé comme l'avenir, sera illuminée par cette création radieuse. Pour M. Frédérick, la soirée du 8 novembre 1838 n'a pas été une représentation, mais une transfiguration.

---

1. *Kean* : acteur anglais de l'époque romantique dont Dumas a fait le héros d'une de ses pièces.
2. *Talma* : grand acteur tragique français sous Napoléon Iᵉʳ.
3. *Si vis me flere, dolendum est primum ipse tibi*, « Si tu veux que je pleure, tu dois toi-même pleurer le premier » (Horace, *Art poétique*, vers 102-103).

Documentation
thématique

Index des principaux thèmes de *Ruy Blas*

Royauté : v. 367-380, 386-393, 785, 985-989, 1077, 1125, 1128-1130, 1194-1197, 1245, 1270, 2105, 2169, 2186, 2246.

Secret : v. 5-6, 23, 28-29, 205-206, 210-214, 232, 331-340, 363, 453-454, 573-574, 579-580, 619, 640, 796-797, 878, 990-998, 1190-1193, 1222-1223, 1235, 1238-1239, 1399-1400, 1449, 1503-1506, 1534, 1606-1607, 1672, 1799, 2117, 2252.

Vengeance-Complot : v. 28-29, 31, 205-217, 452-459, 584, 587, 613, 782, 1169-1173, 1211, 1385, 1390, 1410-1412, 1440-1442, 1482-1494, 1519, 1534, 1599, 1925, 1930, 1934, 1970-1976, 1979-1980, 2072, 2128, 2158-2160, 2209.

Les héros
du drame romantique

Les héros de la tragédie classique appartenaient souvent à une élite sociale et politique, la caste des princes et des guerriers dominée par les figures du roi, du maître et du père. Pour Hugo et ses contemporains romantiques, ce modèle est révolu. C'est l'homme qu'il s'agit de faire monter sur la scène d'une histoire-théâtre. Non plus seulement l'homme de pouvoir mais, souvent, l'homme sans pouvoir, l'homme dans sa complexité, « hétérogène, multiple, composé de tous les contraires, mêlé de beaucoup de mal et de beaucoup de bien, plein de génie et de petitesse » *(Préface de « Cromwell »)*.

Et, de fait, les héros du drame romantique interrogent souvent l'histoire et la société depuis la marge où elles les excluent : ils sont la jeunesse, la femme, le peuple « placé très bas, et aspirant très haut » *(Ruy Blas),* des bannis *(Hernani)* ou des solitaires (comme le héros de *Chatterton,* le drame de Vigny), des bouffons sublimes dans l'âme (comme Lorenzaccio de Musset), des poètes ou des comédiens (à l'image de Kean dans la pièce d'Alexandre Dumas).

C'est par leurs passions que ces personnages demeurent héroïques. Passions contrariées, amours impossibles pour une femme ou la liberté, la justice ou la vérité. L'exaltation de leur moi, de leur cœur, de leur rêve peut aller jusqu'à la révolte contre un monde mesquin, matérialiste, privé de fantaisie. Mais cette révolte n'aboutit à aucun changement (dans *Ruy Blas,* le meurtre de Salluste, aussi révolutionnaire soit-il, restera secret). Les héros romantiques ne peuvent faire reconnaître leurs valeurs ni être eux-mêmes reconnus. Ils paraissent condamnés par un obscur destin à un échec qui met en cause leur identité et les conduit vers la folie. D'où le recours au monologue (voir *Ruy Blas,* IV, 1 et V, 1), qui signale l'impossibilité de la relation au monde, dit la fatalité de la souffrance et annonce un funeste dénouement. Le repli sur soi finit par éloigner les héros de la scène historique. Le suicide est souvent la seule action possible pour des personnages dont le sacrifice n'est plus un principe de régénération de l'univers.

C'est, en définitive, moins leur courage qui nous touche que le spectacle de leur déchirement entre aspiration à l'infini et délectation morose. À travers ces figures de l'échec, c'est la notion même d'héroïsme et la possibilité de donner un sens à l'histoire par le théâtre qui sont mises en question.

De nouveaux héros : le peuple et le bouffon

Dans *Le roi s'amuse* (1832), Victor Hugo fait de Triboulet, le fou du roi François Ier, le héros d'une histoire d'amour et de mort. Le bouffon qui accompagne et encourage son maître dans une vie de plaisir élève sa propre fille « dans l'innocence, dans la foi et dans la pudeur » (préface du drame) en la cachant à tous les yeux. Peine perdue : le roi enlève, séduit et perd la fille chérie de son valet. Celui-ci décide alors de se venger en assassinant son maître. Malgré l'échec de ce projet de régicide (Triboulet croyant tuer le roi tue sa propre fille), le héros surprend par la violence de sa révolte. La pièce fut d'ailleurs interdite.

TRIBOULET, *seul.*

Il s'avance lentement du fond, enveloppé d'un manteau. L'orage a diminué de violence. La pluie a cessé. Il n'y a plus que quelques éclairs et par moments un tonnerre lointain. Triboulet est plongé dans une profonde rêverie, avec une joie sombre dans les yeux.

Je vais donc me venger ! — Enfin ! la chose est faite. —
Voici bientôt un mois que j'attends, que je guette,
Resté bouffon, cachant mon trouble intérieur,

Pleurant des pleurs de sang sous mon masque rieur.
Examinant une porte basse dans la devanture de la maison.
Cette porte... — Oh ! tenir et toucher sa vengeance !
C'est bien par là qu'ils vont me l'apporter, je pense.
Il n'est pas l'heure encor. Je reviens cependant.
Oui, je regarderai la porte en attendant.
Oui, c'est toujours cela. —
Il tonne.
                    Quel temps ! nuit de mystère !
Une tempête au ciel ! un meurtre sur la terre !
Que je suis grand ici ! ma colère de feu
Va de pair cette nuit avec celle de Dieu.
Quel roi je tue ! — Un roi dont vingt autres dépendent,
Des mains de qui la paix ou la guerre s'épandent !
Il porte maintenant le poids du monde entier.
Quand il n'y sera plus, comme tout va plier !
Quand j'aurai retiré ce pivot, la secousse
Sera forte et terrible, et ma main qui la pousse
Ébranlera longtemps toute l'Europe en pleurs,
Contrainte de chercher son équilibre ailleurs ! —
Songer que si demain Dieu disait à la terre :
— Ô terre, quel volcan vient d'ouvrir son cratère ?
Qui donc émeut ainsi le chrétien, l'ottoman,
Clément-Sept, Doria, Charles Quint, Soliman ?
Quel César, quel Jésus, quel guerrier, quel apôtre,
Jette les nations ainsi l'une sur l'autre ?
Quel bras te fait trembler, terre, comme il lui plaît ?
La terre avec terreur répondrait : Triboulet ! —
Oh ! jouis, vil bouffon, dans ta fierté profonde.
La vengeance d'un fou fait osciller le monde !

Victor Hugo,
Le roi s'amuse, acte V scène 1, 1832.

Solitude et désillusion du héros

Confronté à la société, le héros romantique connaît l'épreuve de
la désillusion. *Lorenzaccio,* drame historique d'Alfred de Musset

(1834), témoigne de cette expérience du désenchantement vécue par la génération qui a connu l'échec de la révolution de 1830. Lorenzo de Médicis, la figure centrale du drame, est l'ennemi de la tyrannie, incarnée par son cousin Alexandre, le duc de Florence. Pour pouvoir l'approcher et le tuer, Lorenzo devient « Lorenzaccio » (« Lorenzo, le mauvais »), le compagnon de débauche du duc. Avant d'accomplir « son » meurtre, le héros se confie à Philippe Strozzi, le chef des républicains : il lui révèle qu'en entrant dans la « confrérie du vice », il a sacrifié sa propre vertu, sans la retrouver pour autant dans une humanité incapable d'agir et même de comprendre le geste qu'il se prépare à accomplir en son nom. Ce discours est d'ailleurs prophétique : la mort d'Alexandre ne provoquera pas le sursaut libérateur des républicains, qui laisseront un nouveau tyran s'emparer du pouvoir et Lorenzo être à son tour assassiné.

LORENZO. Suis-je un Satan ? Lumière du ciel ! je m'en souviens encore ; j'aurais pleuré avec la première fille que j'ai séduite, si elle ne s'était mise à rire. Quand j'ai commencé à jouer mon rôle de Brutus moderne, je marchais dans mes habits neufs de la grande confrérie du vice, comme un enfant de dix ans dans l'armure d'un géant de la fable. Je croyais que la corruption était un stigmate, et que les monstres seuls me portaient au front. J'avais commencé à dire tout haut que mes vingt années de vertu étaient un masque étouffant — ô Philippe ! j'entrai alors dans la vie, et je vis qu'à mon approche tout le monde en faisait autant que moi ; tous les masques tombaient devant mon regard ; l'Humanité souleva sa robe, et me montra, comme à un adepte digne d'elle, sa monstrueuse nudité. J'ai vu les hommes tels qu'ils sont, et je me suis dit : Pour qui est-ce donc que je travaille ? Lorsque je parcourais les rues de Florence, avec mon fantôme à mes côtés, je regardais autour de moi, je cherchais les visages qui me donnaient du cœur, et je me demandais : Quand j'aurai fait mon coup, celui-là en profitera-t-il ? — J'ai vu les républicains dans leurs cabinets, je suis entré dans les boutiques, j'ai écouté et j'ai guetté. J'ai recueilli les discours des gens du peuple, j'ai vu l'effet que produisait sur eux la tyrannie ; j'ai bu, dans les banquets patriotiques, le vin qui engendre la métaphore et la prosopopée ; j'ai avalé entre deux baisers les larmes les plus vertueuses ; j'attendais toujours que l'humanité me laissât voir sur sa face quelque chose d'honnête.

J'observais... comme un amant observe sa fiancée, en attendant le jour des noces !...

PHILIPPE.   Si tu n'as vu que le mal, je te plains ; mais je ne puis te croire. Le mal existe, mais non pas sans le bien, comme l'ombre existe, mais non sans la lumière.

LORENZO.   Tu ne veux voir en moi qu'un mépriseur d'hommes ! c'est me faire injure. Je sais parfaitement qu'il y en a de bons ; mais à quoi servent-ils ? que font-ils ? comment agissent-ils ? Qu'importe que la conscience soit vivante, si le bras est mort ? Il y a de certains côtés par où tout devient bon : un chien est un ami fidèle ; on peut trouver en lui le meilleur des serviteurs, comme on peut voir aussi qu'il se roule sur les cadavres, et que la langue avec laquelle il lèche son maître sent la charogne d'une lieue. Tout ce que j'ai à voir, moi, c'est que je suis perdu, et que les hommes n'en profiteront pas plus qu'ils ne me comprendront.

Alfred de Musset,
Lorenzaccio, acte III scène 3, 1834.

L'amour et l'absolu

Antony et Adèle, les héros du drame d'Alexandre Dumas (*Antony,* 1831), illustrent, par les fièvres et les déchirures de leur passion, le caractère absolu des amours romantiques. Amour-défi : Adèle est l'épouse du colonel-baron d'Hervey, mais elle aime un jeune homme, Antony, qu'elle fuit pour mieux le retrouver et se donner à lui. Amour maudit : Antony a laissé Adèle se marier parce qu'il est un enfant trouvé et qu'il n'a pas voulu être un obstacle au bonheur de la jeune femme. Amour-mort : Adèle et Antony rêvent de fuite, mais le colonel d'Hervey est l'obstacle qui rend leur union et leur vie impossibles.

ANTONY.   Oh ! nous sommes donc maudits ? Ni vivre ni mourir enfin !

ADÈLE.   Oui ! oui, je dois mourir seule... Tu le vois, tu me perds ici sans espoir de me sauver... Tu ne peux plus qu'une chose pour moi... Va-t'en, au nom du ciel, va-t'en !

ANTONY.   M'en aller !... te quitter !... quand il va venir, lui ?... T'avoir

227

reprise et te reperdre ?... Enfer !... et s'il ne te tuait pas ?... S'il te pardonnait ?... Avoir commis, pour te posséder, rapt, violence et adultère, et, pour te conserver, hésiter devant un nouveau crime ?... perdre mon âme pour si peu ? Satan en rirait ; tu es folle... Non... non, tu es à moi comme l'homme est au malheur... *(La prenant dans ses bras.)* Il faut que tu vives pour moi... Je t'emporte... Malheur à qui m'arrête !...

ADÈLE.   Oh ! Oh !

ANTONY.   Cris et pleurs, qu'importe !...

ADÈLE.   Ma fille ! ma fille !

ANTONY.   C'est un enfant... Demain, elle rira.

(Ils sont près de sortir. On entend deux coups de marteau à la porte cochère.)

ADÈLE, *s'échappant des bras d'Antony.*   Ah ! c'est lui... Oh ! mon Dieu ; ayez pitié de moi, pardon, pardon !

ANTONY, *la quittant.*   Allons, tout est fini !

ADÈLE.   On monte l'escalier... On sonne... C'est lui... Fuis, fuis !

ANTONY, *fermant la porte.*   Eh ! je ne veux pas fuir, moi... Écoute... Tu disais tout à l'heure que tu ne craignais pas la mort ?

ADÈLE.   Non, non... Oh ! tue-moi, par pitié !

ANTONY.   Une mort qui sauverait ta réputation, celle de ta fille ?

ADÈLE.   Je la demanderais à genoux.

UNE VOIX, *en dehors.*   Ouvrez !... Ouvrez !... Enfoncez cette porte...

ANTONY.   Et, à ton dernier soupir, tu ne haïrais pas ton assassin ?

ADÈLE.   Je le bénirais... Mais hâte-toi ! Cette porte...

ANTONY.   Ne crains rien, la mort sera ici avant lui... Mais songes-y, la mort !

ADÈLE.   Je la demande, je la veux, je l'implore ! *(Se jetant dans ses bras.)* Je viens la chercher.

ANTONY, *lui donnant un baiser.*   Eh bien, meurs !

(Il la poignarde.)

ADÈLE, *tombant dans un fauteuil.*   Ah !...

(Au même moment, la porte du fond est enfoncée ; le colonel d'Hervey se précipite sur le théâtre.)

LE COLONEL.   Infâme !... Que vois-je ?... Adèle !... morte !...

ANTONY.   Oui ! morte ! Elle me résistait, je l'ai assassinée !...

(Il jette son poignard aux pieds du colonel.)

Alexandre Dumas,
Antony, acte V scènes 3 et 4, 1831.

228

L'agent et la victime
d'une obscure fatalité

Sous le signe de Caïn ou de Satan, le héros romantique se sent l'objet et la cause d'un destin aussi obscur que malheureux. Hernani, le héros de V. Hugo, apparaît ainsi doublement maudit : il est le proscrit qui, dans les montagnes espagnoles, a pris la tête d'une révolte contre le roi pour venger une offense ancienne faite à son père. Il est aussi amoureux de doña Sol, la jeune femme que doit épouser le vieux duc don Ruy Gomez de Silva. À l'amour de doña Sol qui veut mourir pour lui, Hernani oppose ses remords et un ultime avertissement.

HERNANI

Monts d'Aragon ! Galice ! Estramadoure !
— Oh ! je porte malheur à tout ce qui m'entoure ! —
J'ai pris vos meilleurs fils, pour mes droits, sans remords ;
Je les ai fait combattre, et voilà qu'ils sont morts !
C'étaient les plus vaillants de la vaillante Espagne.
Ils sont morts ! ils sont tous tombés dans la montagne,
Tous sur le dos couchés, en braves, devant Dieu,
Et, si leurs yeux s'ouvraient, ils verraient le ciel bleu !
Voilà ce que je fais de tout ce qui m'épouse !
Est-ce une destinée à te rendre jalouse ?
Doña Sol, prends le duc, prends l'enfer, prends le roi !
C'est bien. Tout ce qui n'est pas moi vaut mieux que moi !
Je n'ai plus un ami qui de moi se souvienne,
Tout me quitte, il est temps qu'à la fin ton tour vienne,
Car je dois être seul. Fuis ma contagion.
Ne te fais pas d'aimer une religion !
Oh ! par pitié pour toi, fuis ! — Tu me crois, peut-être,
Un homme comme sont tous les autres, un être
Intelligent, qui court droit au but qu'il rêva.
Détrompe-toi. Je suis une force qui va !
Agent aveugle et sourd de mystères funèbres !
Une âme de malheur faite avec des ténèbres !
Où vais-je ? je ne sais. Mais je me sens poussé
D'un souffle impétueux, d'un destin insensé.

Je descends, je descends, et jamais ne m'arrête.
Si parfois, haletant, j'ose tourner la tête,
Une voix me dit : Marche ! et l'abîme est profond,
Et de flamme ou de sang je le vois rouge au fond !
Cependant, à l'entour de ma course farouche,
Tout se brise, tout meurt. Malheur à qui me touche !
Oh ! fuis ! détourne-toi de mon chemin fatal,
Hélas ! sans le vouloir, je te ferais du mal !

Victor Hugo,
Hernani, acte III scène 4, 1830.

Le chant du désespoir

À Chatterton, le héros d'Alfred de Vigny (1835), après la trahison du monde qui n'a pas voulu reconnaître en lui le poète de génie, après l'échec de son amour pour Kitty Bell, qui n'a jamais pu s'exprimer librement, malgré la médiation de son ami — le quaker — qui tente de le ramener parmi les hommes, il ne reste que le désespoir et le suicide. Une manière de refuser tous les compromis. Une ultime et solitaire révolte. Chatterton ne sera jamais le serviteur d'un pays où règnent le mépris et le mensonge.

CHATTERTON.   Allez, mes bons amis. — Il est bien étonnant que ma destinée change ainsi tout à coup. J'ai peine à m'y fier ; pourtant les apparences y sont. — Je tiens là ma fortune. — Qu'a voulu dire cet homme en parlant de mes ruses ? Ah ! toujours ce qu'ils disent tous. Ils ont deviné ce que je leur avouais moi-même, que je suis l'auteur de mon livre. Finesse grossière ! je les reconnais là ! Que sera cette place ? quelque emploi de commis ? Tant mieux, cela est honorable ! Je pourrai vivre sans écrire les choses communes qui font vivre. — Le quaker rentrera dans la paix de son âme que j'ai troublée, et elle ! Kitty Bell, je ne la tuerai pas, s'il est vrai que je l'eusse tuée. — Dois-je le croire ? J'en doute : ce que l'on renferme toujours ainsi est peu violent ; et, pour être si aimante, son âme est bien maternelle. N'importe, cela vaut mieux, et je ne la verrai plus. C'est convenu... autant eût valu me tuer. Un corps est aisé à cacher. — On ne le lui eût pas dit. Le quaker y eût veillé, il pense à tout. Et

230

à présent, pourquoi vivre ? pour qui ?... — Pour qu'elle vive, c'est assez... Allons... arrêtez-vous, idées noires, ne revenez pas... Lisons ceci... *(Il lit le journal.)* « Chatterton n'est pas l'auteur de ses œuvres... Voilà qui est bien prouvé. — Ces poèmes admirables sont réellement d'un moine nommé Rowley, qui les avait traduits d'un autre moine du dixième siècle, nommé Turgot... Cette imposture, pardonnable à un écolier, serait criminelle plus tard... Signé... *Bale*... » Bale ? Qu'est-ce que cela ? Que lui ai-je fait ? — De quel égout sort ce serpent ?

Quoi ! mon nom est étouffé ! ma gloire éteinte ! mon honneur perdu ! — Voilà le juge !... le bienfaiteur ! Voyons, qu'offre-t-il ? *(Il décachète la lettre, lit... et s'écrie avec indignation)* Une place de premier valet de chambre dans sa maison !...

Ah ! pays damné ! terre du dédain ! sois maudite à jamais ! *(Prenant la fiole d'opium.)* Ô mon âme, je t'avais vendue ! je te rachète avec ceci. *(Il boit l'opium.)* Skirner sera payé. — Libre de tous ! égal à tous, à présent ! — Salut, première heure de repos que j'aie goûtée ! — Dernière heure de ma vie, aurore du jour éternel, salut ! — Adieu, humiliations, haines, sarcasmes, travaux dégradants, incertitudes, angoisses, misères, tortures du cœur, adieu ! Oh ! quel bonheur, je vous dis adieu ! — Si l'on savait ! si l'on savait ce bonheur que j'ai... on n'hésiterait pas si longtemps ! *(Ici, après un instant de recueillement durant lequel son visage prend une expression de béatitude, il joint les mains et poursuit.)* Ô Mort, ange de délivrance, que ta paix est douce ! j'avais bien raison de t'adorer, mais je n'avais pas la force de te conquérir. — Je sais que tes pas seront lents et sûrs. Regarde-moi, ange sévère, leur ôter à tous la trace de mes pas sur la terre. *(Il jette au feu tous ses papiers.)* Allez, nobles pensées écrites pour tous ces ingrats dédaigneux, purifiez-vous dans la flamme et remontez au ciel avec moi ! *(Il lève les yeux au ciel et déchire lentement ses poèmes, dans l'attitude grave et exaltée d'un homme qui fait un sacrifice solennel.)*

Alfred de Vigny,
Chatterton, acte III scène 7, 1835.

Spectateurs de théâtre.
Dessin de Victor Hugo. B.N., Paris.

Annexes

L'Espagne sous la maison d'Autriche : notice historique

« Dans *Hernani,* le soleil de la maison d'Autriche se lève ; dans *Ruy Blas,* il se couche » (préface de *Ruy Blas*). Entre ce lever et ce coucher de soleil s'écoulent deux siècles de l'histoire de l'Espagne. En voici quelques dates.

1516. À la mort de Ferdinand le Catholique, Charles Ier (le futur Charles Quint) vient recevoir l'héritage du royaume d'Espagne, qu'il cumule avec celui de l'empereur d'Autriche. Il est lui-même élu empereur à Francfort en 1519 (voir *Hernani*) et règne sur l'Espagne jusqu'en 1556.

1556. Philippe II succède à son père, Charles Quint. Il réussit dans l'ensemble à maintenir l'intégrité des territoires possédés par l'Espagne, mais il échoue dans sa lutte contre l'Angleterre.

1598. La mort de Philippe II sonne l'heure du déclin de la monarchie espagnole. L'Espagne perd son rôle dominant en Europe sous les règnes de trois rois : Philippe III (1598-1621), Philippe IV (1621-1665) et Charles II (1665-1700). Ceux-ci abandonnent leur pouvoir aux mains de favoris (tel le comte-duc Olivares, qui gouverne sous Philippe IV) et ne peuvent administrer un empire démesuré qui, peu à peu, s'appauvrit et se réduit comme une peau de chagrin.

Charles II n'a aucun fils de ses deux mariages : le premier, en 1679, avec Marie-Louise d'Orléans, le second, en 1690, avec Marie-Anne de Neubourg. Ces deux femmes ainsi que la mère du roi, Marie-Anne d'Autriche, ont servi de modèle pour le personnage de la reine dans *Ruy Blas*.

1700. À la mort de Charles II s'éteint le règne de la maison d'Autriche et commence la guerre de la Succession d'Espagne.

Le jeu des doubles dans *Ruy Blas*

Déguisements et masques appartiennent à l'essence du théâtre. Dès lors, le travestissement imposé par don Salluste à son valet au premier acte de *Ruy Blas* ne saurait totalement surprendre. À première vue, il s'inscrit dans un schéma traditionnel : celui de la complicité entre un maître qui veut réaliser un projet et un serviteur qui l'y aide en se faisant passer pour un autre.

Cependant, dès le premier acte, Ruy Blas se révèle beaucoup plus consistant qu'un simple complice : la passion qu'il voue à la reine l'élève au-dessus de sa condition de valet. Par la suite, sa double identité de Ruy Blas-don César ajoute de la complexité à son personnage. Enfin, la relation fraternelle qu'il entretient avec le vrai don César et le rapport de dépendance puis de conflit avec son maître, don Salluste, créent, entre ces trois hommes, un réseau subtil de ressemblances et de différences peu à peu tissé par la pièce dans un vertigineux jeu de doubles.

Ce jeu, riche en possibilités dramatiques, est particulièrement révélateur des ambiguïtés et des tensions propres à la vision du monde de Victor Hugo.

Une action double

D'emblée, l'action, dans la pièce, paraît se dédoubler à partir d'un même objet de désir : la reine. C'est en effet la nature opposée de leurs désirs qui conduit Ruy Blas et don Salluste dans deux directions de plus en plus éloignées l'une de l'autre : le premier veut servir et aimer la reine, le second veut la détruire.

L'habileté de Salluste consiste à se servir de l'amour de son valet pour se venger de la reine qui l'humilia en voulant lui faire épouser sa suivante :

« Ah ! vous m'avez pour femme offert votre suivante !
Moi, je vous ai donné mon laquais pour amant » (v. 2146-2147).
Humiliation contre humiliation : la symétrie est parfaite. Au projet de vengeance fomenté au premier acte (I, 1) répond, au dernier, son accomplissement (V, 3).

La manipulation de Ruy Blas, devenu, malgré lui, un imposteur, l'instrument et la « doublure » de son maître (« Vous n'êtes que le gant et moi, je suis la main » — v. 1463), est facilitée par la ressemblance du jeune homme et de don César. « À peu près même air, même visage » (v. 466), remarque Salluste qui, devant le refus de son cousin d'entrer dans ses plans, lui substitue un double : Ruy Blas. Cette substitution et ce jeu de masques inaugurent l'intrusion du théâtre dans le théâtre : à la scène de fausse reconnaissance de Ruy Blas-don César par la cour (I, 5) font écho les scènes de quiproquo et les coups de théâtre de l'acte IV, où le retour du vrai don César porte à son comble la confusion des identités. Entre-temps, Ruy Blas s'est tellement identifié au personnage qu'il joue que le retour de son maître ne peut que le plonger dans la stupeur (III, 5) : d'autant que, dans un renversement complet des signes, don Salluste se présente devant lui sous la livrée d'un laquais !

On est alors au cœur du drame : Ruy Blas, valet déguisé en grand seigneur, acceptera-t-il plus longtemps d'être le double de Salluste, c'est-à-dire de se soumettre, en perdant son âme et son identité, à son maître ? Aura-t-il au contraire la force de rompre le pacte diabolique qui l'enchaîne depuis le premier acte (I, 4) ? Ces questions déchirent le héros.

Ruy Blas, héros ou imposteur ?

Ruy Blas vit, comme nombre de héros romantiques, sur un mode douloureux, l'écart entre son rêve et la réalité, son aspiration à la liberté et sa servitude, son ambition personnelle et l'humiliation de porter la livrée d'un valet. Ce déchirement est amplifié par la passion ressentie par Ruy Blas pour la reine, un amour que la distance sociale entre eux rend à première vue impossible. Ruy Blas est « Ce misérable fou qui porte avec effroi/ Sous l'habit d'un valet les passions d'un roi » (v. 439-440). C'est à cause de cet amour que Ruy Blas accepte le rôle de don César. Ne dit-il pas, en se comparant aux jeunes seigneurs de la cour qui côtoient la femme qu'il aime :

« Oui, je me damnerais pour dépouiller ma chaîne,
Et pour pouvoir comme eux m'approcher de la reine
Avec un vêtement qui ne soit pas honteux ! » (v. 425-427).

Mais, si Ruy Blas, sous l'habit du grand d'Espagne, connaît une éphémère ascension vers le pouvoir (acte III), il reste le prisonnier de don Salluste et retrouve dès la fin de l'acte III sa « chaîne ». Ses contradictions s'expriment alors sur le mode de l'hésitation : entre deux noms (Ruy Blas / don César), entre deux rangs (le laquais / le ministre), entre deux forces qui le dominent (don Salluste et la reine), entre deux voies (la soumission et la révolte), le héros cherche son âme et risque de perdre son esprit : « Je deviens fou, ma raison se confond » (v. 1431).

Les monologues qui ouvrent les actes IV et V révèlent ces tensions internes qui brisent les rêves et la parole elle-même. L'alexandrin se disloque pour faire entendre cette crise :

« — C'est fini. Me voilà retombé ! De si haut !
Si bas ! J'ai donc rêvé ! — Ho ! je veux qu'elle échappe !
Mais lui ! par quelle porte, ô Dieu, par quelle trappe,
Par où va-t-il venir, l'homme de trahison ? » (v. 1516-1519).

Pour ne pas (se) trahir lui-même, Ruy Blas, au dénouement, se démasque. Sortant de la dualité, affirmant avec l'énergie du désespoir son véritable nom, tuant en don Salluste la mauvaise part de lui-même, il ne peut échapper cependant à la mort. Il signe ainsi son échec, ne pouvant être et avoir été... un autre. La reconnaissance finale de la reine ne change rien à ce destin qui retourne à l'obscurité :

« — Tout restera secret. — Je meurs » (v. 2252).

237

Un Ruy Blas ne peut être roi, pas plus en 1698 qu'en 1838. Seule contrepartie à cette chute du héros : la grandeur qu'il tire paradoxalement d'un grotesque non plus masqué mais totalement assumé.

Le théâtre hugolien comme miroir de l'ambiguïté

Le thème du double et l'incapacité du héros à devenir un autre peuvent être interprétés sous l'angle politique mais aussi éclairés par la biographie de V. Hugo.

La relation d'affrontement et d'asservissement entre don Salluste et Ruy Blas, l'amour du laquais pour la reine illustrent l'ambiguïté de l'attitude de V. Hugo vis-à-vis des pouvoirs établis au cours de la décennie 1830-1840. S'il peut affirmer dans les *Choses vues* (1830) : « Mon ancienne conviction royaliste et catholique de 1820 s'est écroulée pièce à pièce depuis dix ans », il n'est pas encore l'ardent républicain d'après 1848. Fréquentant les allées du pouvoir, reçu par le jeune duc d'Orléans et son épouse, il rêve de réformer la monarchie, conscient de la puissance latente mais aussi de la faiblesse actuelle du peuple, dont les émeutes sont durement réprimées sous le règne de Louis-Philippe. Il propose, dans *Ruy Blas,* l'éloge ambigu d'un enfant du peuple, voué à la faillite de son action politique puisqu'il ne peut la conduire que sous le masque (acte III).

Un autre aspect de la vie de V. Hugo, plus intime, permet de mieux apprécier ce jeu des masques et la fraternité qui unit Ruy Blas et don César, ce « mort-vivant » dont le héros prend un instant le nom et la place avant que son retour ne vienne précipiter la catastrophe. Anne Ubersfeld a clairement établi l'importance, dans l'œuvre de Hugo, de la rivalité fraternelle entre Victor et son frère Eugène, le compagnon d'enfance, lui aussi amoureux de la littérature mais sombrant dans la folie lors du mariage de Victor et d'Adèle en 1822. Interné à l'asile de

Charenton, Eugène meurt l'année précédant la rédaction de *Ruy Blas*. Nul doute que la présence/absence du frère aîné (et aimé) a profondément marqué V. Hugo, qui lui consacre un poème des *Voix intérieures* (« À Eugène, vicomte H. ») et écrit, après *Ruy Blas,* un drame inachevé, intitulé d'une manière significative *les Jumeaux* (1839). « Et maintenant, qui nous dira ce que cette fraternité, cette familiarité intérieure avec ce qu'il faut bien appeler un fou a fait naître chez le poète, quel sillon elle a creusé, et comment elle a pu déterminer dans toute l'œuvre de Hugo ce vacillement autour de ce qui ne troublait guère ses contemporains : le principe du moi et même, à la limite, le principe d'identité ? » (Anne Ubersfeld, *Paroles de Hugo,* Messidor/ Éditions sociales, 1985).

De la ressemblance à la dualité, de la dualité à la tension des contraires, le drame hugolien accueille et accuse, dans sa composition et au cœur même de ses alexandrins, les contradictions de l'être autant que celles qui opposent l'individu et la société. Il éclaire les analogies là où se font jour des écarts apparemment infranchissables : si Ruy Blas semble à mille lieues de la reine d'Espagne, ils partagent le même désir de liberté, de reconnaissance et d'absolu, parce que l'un est un laquais et que l'autre est une femme malheureuse. Le rêve d'un amour sans masque, par-delà la différence des conditions sociales, est peut-être le dernier mot du jeu des doubles dans *Ruy Blas*.

Sources et rédaction du drame

Les sources de *Ruy Blas*

La maturation d'un chef-d'œuvre comme *Ruy Blas* s'est accomplie sur une très longue durée. La connaissance de l'Espagne remonte pour Hugo à l'enfance. Elle s'est enrichie d'un travail de documentation considérable entrepris pour *Hernani* et repris pour *Ruy Blas*.

Quelques ouvrages apparaissent fondamentaux dans cette recherche historique sur le XVIIe siècle espagnol. Hugo les a empruntés pour la plupart à la bibliothèque de l'Arsenal, à Paris, dont le conservateur est Charles Nodier, un de ses amis romantiques.

• Les *Mémoires de la cour d'Espagne* de Madame d'Aulnoy (Paris, Barbin, 1690) ont fourni à Hugo de nombreux renseignements sur le règne de Charles II et sur l'histoire du favori de la reine mère, don Fernando de Valenzuela, parvenu comme Ruy Blas au sommet de la puissance, avant d'en être dépossédé à la suite d'un complot et d'une disgrâce.

• *L'État présent de l'Espagne* de l'abbé de Vayrac (Paris, Cailleau, 1718) permet à l'écrivain de préciser les données géographiques et historiques concernant la monarchie espagnole.

• Dans les *Horas devotas* (Paris, 1734), Hugo puise plusieurs noms de saints.

• D'autres *Mémoires de la cour d'Espagne,* ceux du marquis de Villars, ambassadeur de France (Paris, Josse, 1753), lui offrent plusieurs détails sur le déclin de l'Espagne à la fin du XVIIe siècle (voir la tirade du « Bon appétit, messieurs », III, 2).

Hugo s'est expliqué sur l'exactitude de ses sources dans une Note reproduite p. 214.

Ruy Blas s'inscrit par ailleurs dans la grande histoire du théâtre européen.

• Les monologues de Ruy Blas font écho à ceux des drames de Shakespeare (*Hamlet* en particulier) ou à ceux des tragédies de Corneille (*le Cid* et son héroïsme espagnol).

• On a pu rapprocher don Salluste du Commandeur de *Dom Juan* (Molière), figure détestée de l'autorité paternelle, et Ruy Blas, du Leporello de *Don Giovanni,* de Mozart. Salluste, tentateur diabolique, est aussi une incarnation du satanisme romantique : il a bien des parentés avec le Méphistophélès du *Faust* de Goethe. La dimension politique du meurtre de don Salluste par Ruy Blas est inséparable de celle d'un autre drame romantique : *Lorenzaccio,* de Musset (voir p. 226).

• En ce qui concerne les relations entre maître et serviteur, essentielles dans le drame, Hugo en les traitant pouvait songer à d'illustres devanciers : Shakespeare encore pour le couple Othello-Iago, Molière et *les Précieuses ridicules,* où des seigneurs introduisent leurs valets travestis en maîtres chez deux jeunes femmes dont ils veulent se venger. Les comédies de Marivaux (*le Jeu de l'amour et du hasard,* notamment) et de Beaumarchais (les aventures de Figaro, valet rival de son maître dans *le Mariage de Figaro*) pouvaient également suggérer le schéma de l'inversion des rôles sociaux et du déguisement. Selon le critique Auguste Vitu (*le Figaro* du 5 avril 1879), c'est dans les *Confessions* de Jean-Jacques Rousseau que Hugo aurait trouvé l'idée de donner à un laquais « les passions d'un roi » ; Rousseau y raconte en effet l'amour qu'éveilla en lui la fille du comte de Gouvon, chez lequel il servait comme domestique (Iʳᵉ partie, livre III). D'après Adèle Hugo *(Victor Hugo raconté par un témoin de sa vie),* c'est à un spectacle de marionnettes applaudi dans l'enfance par les frères Hugo que remonterait l'origine du drame : on y voyait un valet (Jocrisse) durement rossé par son maître. Hugo aurait, en quelque sorte, voulu lui donner sa revanche dans *Ruy Blas.*

• Mais la pièce connaît des précédents plus immédiats et tout aussi déterminants dans l'œuvre même de Victor Hugo : le personnage du favori toujours menacé d'une chute politique est représenté dans deux drames, *Amy Robsart* et *Marie Tudor.* Le thème du suicide apparaît dans *Hernani,* comme les thèmes du double et de la destinée fatale. Quelques personnages, avant Ruy Blas, sont des esquisses d'une représentation théâtrale du peuple comme Gilbert, l'ouvrier ciseleur de *Marie Tudor.* Les figures du grotesque annonçant don César sont nombreuses : pensons aux fous de *Cromwell* et au Triboulet du *Roi s'amuse.* Les personnages inquiétants de manipulateurs et de tyrans sont aussi légion avant l'apparition de don Salluste : Homodei dans *Angelo, tyran de Padoue,* entre autres.

La rédaction et les variantes

Le témoignage d'Adèle Hugo (dans *Victor Hugo raconté*) et différents brouillons de l'écrivain donnent à penser que plusieurs projets ont précédé et préparé la rédaction de *Ruy Blas* au cours de l'été 1838. Hugo avait initialement prévu de consacrer une pièce, peut-être une comédie, à un « hidalgo, mendiant spadas-sin » nommé don César de Bazan. C'est seulement dans un second temps qu'il imagine de « dédoubler » son héros et de faire de Ruy Blas la figure centrale d'un drame.

L'écrivain avait d'ailleurs songé à montrer d'emblée Ruy Blas ministre : « Sa première idée avait été que la pièce commençât par le troisième acte. Ruy Blas, Premier ministre, duc d'Olmedo, tout-puissant, aimé de la reine ; un laquais entre, donne des ordres à ce tout-puissant, lui fait fermer une fenêtre et ramasser son mouchoir. Tout se serait expliqué après. L'auteur, en y réfléchissant, aima mieux commencer par le commencement, faire un effet de gradation plutôt qu'un effet d'étonnement et de montrer d'abord le ministre en ministre et le laquais en laquais. » La scène 5 de l'acte III, celle des illusions perdues de Ruy Blas, apparaît bien comme le cœur d'un drame qui trouve sa structure fondamentale dans l'opposition entre maître et valet.

Victor Hugo commença à rédiger *Ruy Blas* le 5 juillet 1838. Le rythme de son travail est impressionnant dans sa rapidité et sa régularité : le 14 juillet, l'acte I est terminé, l'acte II le sera le 22 juillet ; l'acte III est écrit en une dizaine de jours, du 20 au 31 juillet, l'acte IV, du 1er au 7 août, l'acte V, du 8 au 11 août. Ces deux derniers mouvements devaient vraisemblablement former à l'origine un seul acte, comme l'indique leur décor unique.

Le manuscrit de *Ruy Blas,* conservé à la Bibliothèque nationale (NB Nafr 13.373), fait apparaître de nombreuses corrections et variantes. La plus importante de ces corrections concerne le début de la pièce (sc. 1 et 2, retouchées par Hugo à partir du 8 juillet 1838) où initialement don Salluste conversait avec Zafari-don César.

Scène 4. Don Salluste, Z.

Z.

Après que Ruy Blas est sorti, il s'avance gravement vers don Salluste.
Don Salluste, hier soir, le front sur un pavé,
Devant l'ancien palais des comtes de Teve,
— C'est là, depuis vingt ans, que la nuit je m'arrête, —
Je m'endormais, avec le ciel bleu sur ma tête,
Lorsqu'un homme a passé qui m'a dit, parlant bas,
De venir chez monsieur le marquis de Finlas,
Président du conseil de justice suprême,
Dans le palais royal, ici, ce matin même,
Avant l'aube. Cet homme, ayant ainsi parlé,
M'a donné votre passe et puis s'en est allé.
Or, moi qui n'ai pas peur de votre âme profonde,
Et qui n'ai fait de mal à personne en ce monde,
Moi, le gueux Zafari, ce libre compagnon,
Dont vous seul à Madrid connaissez le vrai nom,
Je viens, puisqu'à venir votre grâce m'invite.
Si c'est pour m'envoyer en prison, faites vite.

Don Salluste, *allant à lui.*

Don César, donnez-moi votre main.

Z.

Quoi !

243

DON SALLUSTE, *lui tendant la main.*

Donnez,

Mon cousin !

Z.

Mon cousin ! Vous vous en souvenez ! [...]

DON SALLUSTE

Dites-moi, vous devez avoir besoin d'argent ?

Z.

Mon pourpoint a beaucoup de bouches qui le disent.
Car sous l'ample surtout dont les plis me déguisent,
Le démon fait sortir, avec son doigt railleur,
Mon linge par des trous non prévus du tailleur.
Et sans Matalobos...

DON SALLUSTE

Ce voleur de Galice

Qui désole Madrid ?

Z.

Malgré votre police.

Il est de mes amis. Sans lui, c'est presque nu
Que César chez Salluste ici serait venu.

DON SALLUSTE

Comment ?

Z.

Il m'a donné le justaucorps du comte
D'Alva.

DON SALLUSTE

Vous le portez ?

Z.

Je n'aurai jamais honte
De mettre un bon habit brodé, passementé,
Qui l'hiver me réchauffe et me pare l'été.
— Voyez, il est tout neuf. — Les poches en sont pleines
De billets doux au comte adressés par centaines.
Souvent, fort amoureux, n'ayant rien sous la dent,
J'avise une cuisine au soupirail ardent
D'où la vapeur des mets aux narines me monte.
Je m'assieds là. J'y lis les billets doux du comte,
Et pauvre et vieux, lisant et flairant tout le jour,
J'ai l'odeur du festin et l'ombre de l'amour !
Quant à l'argent, jamais je n'ai vu l'eau plus basse.

244

Je n'en ai plus besoin depuis que je m'en passe.
Certes, le roi Carlos, votre maître et le mien,
Vous estimerait fort et vous paierait très bien,
Marquis, si vous pouviez, pour un jour de ressource,
Trouver des courtisans aussi plats que ma bourse. [...]

Z.

Don Salluste, la fleur se fane, que je crois.

DON SALLUSTE

Quel charmant cavalier vous étiez autrefois !

Z.

Oui, j'eus aussi mes jours de richesse et de joie !
Mon pourpoint de drap d'or et ma cape de soie !
Oh ! comme le front haut et vivant à pleins bords
J'allais dans les jardins ! oh ! j'avais tout alors,
Botte à large éperon résonnant sur les marbres,
Grand feutre dont la plume effarouchait les arbres,
Rubans prodigieux, rabats extravagants,
Brette à vaste coquille où je mettais mes gants,
Au dos une guitare, au cœur une étincelle.
À force de tirer ce que Dieu mit en elle
De folle volupté, de plaisir étourdi,
Une piastre à la fin devient maravédi.
Moi, je suis devenu ceci. — Vraiment, les belles
D'autrefois, — oui, vraiment, j'en ris, — que diraient-elles,
Elles qui de César se disputaient l'amour,
En voyant au Prado, vers la chute du jour,
Marcher, sous un chapeau sans plume aux bords énormes,
Un grand manteau troué sur des bottes difformes !
Bah ! ne regrettons rien. Ces temps sont loin de moi.
Vous avez désiré me parler ?

DON SALLUSTE

Oui.

Z.

Pourquoi ?

DON SALLUSTE

César, je vous admire ! il est resté le même.
Aimant les femmes ?

Z.

Oui, Salluste, je les aime —

245

Toujours. — De près jadis, aujourd'hui de fort loin.
Leur ombre maintenant me suffit. J'ai besoin
D'aller voir tous les soirs, plaisir pour vous bien mince,
Les Lucindes sortir du théâtre du Prince.
Je leur dis dans mon cœur : Vivez ! c'est votre tour !
Riez ! chantez ! ayez la joie ! ayez l'amour !
Mais, visages charmants, mais folles que vous êtes,
Belles folles, vraiment, croyez-moi, pas de dettes !
Voyez le bel état où les dettes m'ont mis !
J'avais un nom illustre, un palais, des amis.
Hé bien ! je n'ai plus rien, ô mes belles Lucindes !
Madrid depuis vingt ans me croit mort dans les Indes.
Je suis sorti du monde et des plaisirs brillants
Et de mon nom, pour fuir vingt créanciers hurlants !
Oh ! tremblez quand le soir, passant, le rire aux lèvres,
Vous rencontrez la vitre ardente des orfèvres.
Non, vous ne tremblez pas, et vous achèterez !
Sans argent, à crédit. — Eh bien, ces riens dorés,
Cette mante en satin dont l'agrafe vous tente,
Ce bouquet émaillé, cette perle éclatante,
Tous ces objets exquis dont le moindre est charmant,
Dans un an, dans un mois, prendront subitement
La forme épouvantable, infâme, monstrueuse,
D'un créancier ! d'un être à face vertueuse,
Aux manières d'abord mielleuses, qui viendra
Vous parler gêne, ennuis, commerce, et cætera,
Mais qui, changeant bientôt et voulant son salaire,
Fera chez vous le bruit d'une hyène en colère !
Alors autant on vit de hochets, de bijoux
Luire à vos bras de neige et jouer sur vos cous,
Autant de gnomes vils, vendeurs, marchands, cloportes,
Viendront grouiller chez vous et cogner à vos portes,
Marcher sur vos tapis, compter vos diamants
Et dire à vos portiers le nom de vos amants !
Vous les amadouerez ? Mais c'est honteux à dire,
Dépenser pour cela votre divin sourire !
Puis, le beau résultat ! vous avez maintenant
Un tas d'êtres hideux toujours vous talonnant,
Et qui prennent le droit, dans vos jeux, dans vos fêtes,

246

De se mêler sans cesse à tout ce que vous faites ;
Si bien que leur personne et leur accoutrement,
Leur gros ventre d'où sort un gros rire assommant,
Leurs yeux gris, leur nez rouge, et leur fraise et leurs chausses
Font à tous vos plaisirs d'abominables sauces !

Les autres corrections portent en général sur un mot, que l'écrivain souhaite plus éloquent ou plus approprié au personnage qui le prononce. Ce sont surtout les didascalies qu'il enrichit d'indications de mouvement à partir des répétitions avec les acteurs de son drame, car Hugo fut non seulement l'auteur mais aussi le premier metteur en scène de *Ruy Blas,* avant la grande première du 8 novembre 1838.

Mises en scène et critiques

La première représentation
de *Ruy Blas* en 1838

Le projet de Victor Hugo et d'Alexandre Dumas de créer un Nouveau Théâtre français se concrétisa dès 1837 avec l'autorisation d'ouvrir le théâtre de la Renaissance dans la salle Ventadour, un théâtre qui devait accueillir le drame, la comédie et l'opéra-comique. Hugo accepta d'écrire le spectacle d'ouverture : ce fut *Ruy Blas.* La part prise par l'écrivain dans la préparation de cette « première » fut essentielle. En accord avec Anténor Joly, le directeur du nouveau théâtre, Hugo confia à Frédérick Lemaître le rôle de Ruy Blas, et non celui de don César, auquel le grand

247

acteur du mélodrame s'attendait. Ce choix répondait à deux raisons principales : il était, d'une part, judicieux de confier le rôle-titre à un comédien confirmé, jouissant d'une immense popularité. F. Lemaître, acteur rompu à la variété des tons et des styles, devait d'autre part souligner la dualité du grotesque et du sublime propre au personnage de Ruy Blas. Don César fut joué par Saint-Firmin. Hugo renonça à confier à Juliette Drouet le rôle de la reine, qui fut tenu par Louise Beaudoin (au théâtre, Atala Beauchêne), la maîtresse de F. Lemaître.

L'écrivain ne laissa à personne le soin de lire son texte aux acteurs puis de les diriger. C'est encore lui qui fit le dessin des décors et s'opposa à la suppression de la rampe projetée par A. Joly pour moderniser son théâtre en affirmant que « la réalité crue de la représentation serait en désaccord avec la réalité poétique de la pièce, que le drame n'était pas la vie même, mais la vie transfigurée en art, qu'il était donc bon que les acteurs fussent transfigurés aussi, qu'ils l'étaient déjà par leur blanc et par leur rouge, qu'ils l'étaient mieux par la rampe, et que cette ligne de feu qui séparait la salle de la scène était la frontière naturelle du réel et de l'idéal » *(Victor Hugo raconté par un témoin de sa vie)*. Hugo refusa également qu'on réduisît les places du public populaire dans lequel il voyait « le vrai public, vivant, impressionnable, sans préjugés littéraires, tel qu'il le fallait à l'art libre » *(op. cit.)*.

Si la pièce connut le succès, le 8 novembre 1838 et au cours de la cinquantaine de représentations qui suivirent, les critiques furent contradictoires et généralement défavorables. Incompréhension, accusations d'immoralité, attaques politiques ou esthétiques au nom de la monarchie et du classicisme, parodies (*Ruy Blag,* représenté aux Variétés en décembre 1838) ; tout semble bon pour condamner une pièce que certains de ses plus sévères critiques (Sainte-Beuve, Balzac) n'ont même pas vue ! Ainsi on peut lire dans *la Mode,* un journal ultra, le 10 novembre 1838 :

« Après avoir taché de sang et couvert d'ordures François Ier, le roi-chevalier, Marie Tudor, la reine catholique, voilà maintenant que M. Hugo veut réhabiliter le laquais couvert de sa livrée et démontrer à tous que l'homme dans sa souquenille usée peut être aussi héroïque que le monarque enveloppé dans sa pourpre impériale. »

Le critique Gustave Planche s'en prend avec violence au personnage de don César dont le grotesque — en particulier à l'acte IV — avait choqué :

« Il se vautre dans la fange, il s'avilit, il se dénonce au mépris public, comme s'il craignait d'être confondu avec les honnêtes gens. Il fait d'incroyables efforts pour appeler le rire sur ses lèvres, pour égayer l'auditoire ; mais ses railleries grossières sur les hommes qu'il a tués ou dépouillés, sur les grands seigneurs dont il porte le manteau et le pourpoint, sur les évêques dont il a dérobé la bourse n'excitent que le dégoût et ne dérident personne » (*Revue des Deux Mondes,* décembre 1838).

Moins sévère, Jules Janin souligne le caractère particulier de la fatalité dans la pièce comme dans l'ensemble du théâtre du V. Hugo :

« C'est toujours la même puissance implacable, fatale, sans regard, sans oreilles, sans entrailles, presque sans voix [...], une espèce de force inerte que vous retrouvez dans les tragédies de Sophocle, mais du moins justifiée par la croyance religieuse. Seulement M. Hugo a dépouillé la *nécessité* de tout appareil religieux » (*Journal des débats,* 12 novembre 1838).

Les grandes reprises du drame

En 1872, lorsque la pièce est reprise à l'Odéon, elle obtient un accueil triomphal de la part de la critique comme du public. Théophile Gautier écrit alors :

« La franchise de Molière, la grandeur de Corneille, l'imagination de Shakespeare, fondues au creuset d'Hugo, forment ici un airain de Corinthe supérieur à tous les métaux » (*Gazette de Paris,* 28 février 1872).

Parlant de la poésie de *Ruy Blas,* Émile Zola écrit pour sa part :
« Quelle brusque et prodigieuse fanfare dans la langue que ces
vers de Victor Hugo ! Ils ont éclaté comme un chant de clairon au
milieu des mélopées sourdes et balbutiantes de la vieille école
classique. C'était un souffle nouveau, une bouffée de grand air,
un resplendissement de soleil. [...] Au détour d'un hémistiche, au
coin d'une césure, il y a de soudaines échappées ; c'est un
paysage qui se déroule ; c'est une fière attitude qui s'indique ;
c'est un amour qui passe ; c'est une pensée immortelle qui
s'envole » (*le Voltaire,* 1872).

En 1879, le drame entre au répertoire de la Comédie-Française
avec la grande Sarah Bernhardt dans le rôle de la reine et
Mounet-Sully en Ruy Blas. Hugo, à 77 ans, dirige les répétitions.

Parmi les reprises plus récentes, on retiendra celle du cente-
naire de la pièce, en 1938, avec Marie Bell (la reine), Jean Yonnel
(Ruy Blas) et Pierre Dux (don César), dans un décor de Jean
Hugo, l'arrière petit-fils de l'écrivain. Mais la plus célèbre mise
en scène de *Ruy Blas* est celle de Jean Vilar au T.N.P. en 1954,
Gérard Philipe interprétant le rôle de Ruy Blas avec sobriété et
fermeté. Dans sa *Note aux comédiens,* Jean Vilar écrit :

« *Ruy Blas* est donc d'abord une pièce à éclats.

Ruy Blas est aussi une pièce où l'accessoire est un tyran. Oui,
c'est à la fois l'œuvre d'un poète et un drame réaliste. Avant tout
effet, avant tout éclat sonore ou rythmique, l'interprète se heurte
au petit détail réel, vrai, inévitable autour duquel le poète va faire
tournoyer la scène qui suit. C'est même ce petit détail vrai (un
objet ou une indication concernant l'intrigue) qui fait démarrer
presque toutes les scènes, chaque acte et la pièce » (*Cahiers
Théâtre Louvain,* n° 53, 1985).

Joué 1020 fois à la Comédie-Française entre 1879 et 1980, *Ruy
Blas* continue d'attirer publics et metteurs en scène. Ce fut
encore le cas au théâtre des Bouffes-du-Nord, en 1992 avec
Lambert Wilson (Ruy Blas), Jean-Claude Drouot (don Salluste),
Étienne Chicot (don César) et Florence Darel (la reine), dirigés
par Georges Wilson.

Critiques contemporaines

Le remarquable travail d'édition et d'interprétation de *Ruy Blas*
par Mme Anne Ubersfeld est aujourd'hui le guide de tout
lecteur du drame (voir p. 255). Cette œuvre critique montre en
particulier la synthèse réalisée par Hugo dans *Ruy Blas* entre
l'individuel et le social, le sentimental et le politique, le
pathétique et le bouffon : « Cette volonté totalisante marche
dans deux sens à la fois : elle est reprise de tout un héritage
culturel, et le plus large possible ; elle est en même temps effort
de synthèse entre les éléments opposés du code culturel :
mélodrame et tragédie, grotesque et sublime devront se fondre
dans le creuset du théâtre total » (*le Roi et le Bouffon,* Corti, Paris,
1974).

Dans cette « tragédie du grotesque » et de l'échec du
peuple-héros, A. Ubersfeld souligne également la vertu de
l'amour : « C'est la beauté et la signification de *Ruy Blas* que de
montrer à côté de l'échec politique, traduction du profond
pessimisme politique et social de Hugo, la force des valeurs
intérieures de l'amour et du sacrifice : il est beau, il est juste que
dans *Ruy Blas* l'amour l'emporte si hautement sur les valeurs
historiques et politiques qui ne peuvent être dans ce contexte
que de fausses valeurs, il est juste que l'amour soit dans *Ruy Blas,*
la seule voie du salut, toutes les autres portes étant fermées.
Maladroitement, encore confusément, Ruy Blas préfigure Jean
Valjean » (*Ruy Blas, Édition critique,* Les Belles-Lettres, Paris,
1971, t. I).

Un autre grand lecteur de V. Hugo, M. Jean Gaudon, formule
sur le même thème un jugement sensiblement différent. « Le
héros qui a eu au cours de la pièce une illusion de pouvoir, grâce
au miroir déformant de l'amour, se trouve dépouillé de tout ce
qui n'est pas cet amour. Le rêve étoilé de Ruy Blas vient mourir
dans l'épisode sordide qui termine la pièce. Dans un monde
grisâtre, vidé de tous les prestiges de la vie, le stupéfiant amour
vient apporter un instant l'éclat factice qui permet d'affronter la

mort. Pauvre sortilège en vérité ! » (*Hugo et le Théâtre, Stratégie et dramaturgie,* Jean-Jacques Pauvert, Paris, 1985).

Laissons à un dernier critique, Michel Lioure, le soin de définir la modernité du drame romantique. « Le drame est moderne en effet par son refus d'une esthétique ancienne et démodée, son goût de la liberté, son sens de l'innovation, son recours à toutes les formes de l'excitation sensible et émotive. Il l'est aussi par sa référence à l'idéal romantique du héros simultanément rêveur et blasé, amer et passionné, exalté et désabusé. Moderne est enfin son souci d'apporter aux hommes de son temps un message philosophique et social en accord avec les préoccupations contemporaines » (*le Drame de Diderot à Ionesco,* Armand Colin, Paris, 1973).

Avant ou après la lecture

Mises en scène, réécriture

1. Imaginez, en modifiant les données du dernier acte, un nouveau dénouement pour *Ruy Blas.* Comparez-le avec celui imaginé par V. Hugo et faites-en la critique.

2. En tenant compte des indications scéniques de l'acte IV, dessinez un schéma général du décor. Quels objets vous paraissent indispensables à toute mise en scène ? Quels objets nouveaux pourrait-on introduire de manière significative ?

3. Proposez des conseils de diction, d'accentuation, mais aussi de déplacements et de gestuelle à un acteur qui dirait (et jouerait) la grande tirade de Ruy Blas dans l'acte III, scène 2.

Questions d'ensemble, exposés

1. Les caractères d'un drame historique et la peinture de l'Espagne dans *Ruy Blas*.

2. La composition dramatique : la temporalité, la stratégie des coups de théâtre, la préparation du dénouement, le jeu d'écho entre les différents actes.

3. Le thème de la corruption : la circulation et la signification de l'argent dans la pièce.

4. La représentation du destin : les personnages qui l'incarnent, la contradiction propre à Ruy Blas entre liberté et fatalité, la distinction entre fatalité intérieure au personnage et fatalité extérieure.

5. Le satanisme : les allusions au démon, au pacte diabolique, les couleurs « infernales » du drame dans ses deux derniers actes, l'antithèse ange/démon.

6. Formes, personnages et significations du grotesque dans *Ruy Blas*. Le mélange des tons. Les procédés de la comédie et de la tragédie.

7. Les images poétiques et en particulier la métaphore animale.

8. La critique sociale et politique ; les relations entre maître et valet ; la signification politique de l'action de Ruy Blas.

9. Le jeu des masques et la question de l'identité : leur utilisation dramaturgique.

10. L'alexandrin hugolien dans *Ruy Blas* : les différentes utilisations et déformations du vers dans les dialogues et les tirades de la pièce.

11. L'utilisation et la symbolique des objets et des couleurs dans le drame.

12. L'espace : espace visible/espace invisible, espace réel/espace rêvé, espace ouvert/espace fermé, signification des déplacements dans cet espace.

Dissertations

1. Dans un essai intitulé « Monde et théâtre » (*Théâtres,* Le Seuil, Paris, 1986), Bernard Dort rappelle que la dimension politique du théâtre naît de la relation entre la scène (ce qui s'y joue et comment on y joue) et la salle. Parfois, la scène reflète la salle ; parfois, elle s'y oppose. Le public d'aujourd'hui peut-il, selon vous, se reconnaître dans le drame de *Ruy Blas ?*

2. Le conflit entre les personnages de *Ruy Blas* (par exemple, entre le héros et don Salluste) est-il un conflit social ou plutôt un conflit de caractères ?

3. « Les images des passions au théâtre n'en sont pas les vraies images, ce n'en sont que des portraits outrés, que de grandes caricatures assujetties à des règles de convention. »
Peut-on, selon vous, appliquer ce jugement de Diderot (dans le *Paradoxe sur le comédien*) à la représentation des passions dans *Ruy Blas ?*

4. À l'époque de Louis XIV, on représentait fréquemment les tragédies tirées de l'Antiquité en costumes de cour (du XVIIe siè-cle). Y aurait-il quelque intérêt aujourd'hui à représenter *Ruy Blas* dans des costumes et des décors contemporains ? Faites le bilan de ce que le spectacle y gagnerait ou y perdrait.

5. Dans la *Préface* de *Cromwell,* Hugo définit ainsi l'alexandrin dont il rêve pour son théâtre : « un vers libre, franc, loyal, osant tout dire sans pruderie, tout exprimer sans recherche ; passant d'une naturelle allure de la comédie à la tragédie, du sublime au grotesque. » Cherchez dans *Ruy Blas* des vers qui correspondent aux différentes facettes de ce mètre aux « mille formes ».

6. Anne Ubersfeld souligne que l'antithèse est, chez Hugo et en particulier dans *Ruy Blas,* une catégorie « à la fois littéraire et idéologique » qui fait éclater les contradictions *(le Roi et le Bouffon).* Vous montrerez que l'antithèse apparaît dans le texte, entre les personnages, entre les scènes, entre les actes, comme une des figures essentielles du drame.

Confrontations

1. Comparez sous l'angle politique et dramatique *Ruy Blas* et *Lorenzaccio* de Musset.

2. Le thème de la fatalité dans *Ruy Blas* et dans *Hernani.*

3. Les relations entre maîtres et serviteurs dans *Dom Juan,* de Molière, *le Jeu de l'amour et du hasard,* de Marivaux, *le Mariage de Figaro,* de Beaumarchais, et *Ruy Blas.*

Bibliographie, discographie, filmographie

Édition
Victor Hugo, *Ruy Blas,* édition critique établie par Anne Ubersfeld (2 tomes), Les Belles-Lettres, Paris, 1971.

Victor Hugo
Henri Guillemin, *Victor Hugo par lui-même,* Le Seuil, Paris, 1964.
Hubert Juin, *Victor Hugo,* Flammarion, Paris, 1980.
Anne Ubersfeld, *Paroles de Hugo,* Messidor, Paris, 1985.

Le drame romantique
Michel Lioure, *le Drame de Diderot à Ionesco,* Armand Colin, Paris, 1973.
Anne Ubersfeld, *le Drame romantique,* Belin, Paris, 1993.

Ruy Blas et le théâtre de Hugo

Anne Ubersfeld, *le Roi et le Bouffon, étude sur le théâtre de Hugo de 1830 à 1839,* José Corti, Paris 1974.

Arnaud Laster, *Pleins feux sur Victor Hugo,* Comédie-Française, Paris, 1981.

Jean Gaudon, *Victor Hugo et le théâtre. Stratégie et dramaturgie,* Suger, Jean-Jacques Pauvert, Paris, 1985.

Sylvie et Jacques Dauvin, *Hernani / Ruy Blas,* Hatier, Paris, 1986.

Discographie

Ruy Blas, collection des sélections sonores Bordas, avec Jean-Louis Trintignant, Nelly Borgeaud, Jean Topart, Jean Piat, Denise Gence (Bordas SSB 101).

Filmographie

Ruy Blas, adapté par Jean Cocteau et réalisé par Pierre Billon (1947), Jean Marais jouant à la fois Ruy Blas et don César.

Ruy Blas adapté pour la télévision par Claude Barma et Raymond Rouleau (1972) avec François Beaulieu et Claude Winter.

Petit dictionnaire
pour commenter *Ruy Blas*

action *(n. f.)* : ensemble des événements ou des actes qui conduisent à la réalisation d'un ou de plusieurs objectifs.

alexandrin *(n. m.)* : vers de douze syllabes.

allégorie *(n. f.)* : représentation d'une idée, d'une abstraction par des éléments concrets. Ex. : « une hydre aux dents de flamme » est une allégorie de la passion amoureuse (v. 354-355).

allitération *(n. f.)* : répétition d'un même son-consonne. Ex. : au vers 788, une allitération en « l » et « f » réunit les symboles de l'amour : « La dentelle, la fleur, la lettre, c'est du feu ».

antithèse *(n. f.)* : forte opposition entre deux termes. Ex. : « Tout se fait par intrigue et rien par loyauté » (v. 1107).

aparté *(n. m.)* : réplique qu'un personnage dit à part soi et que seul le spectateur est censé entendre. Ex. : celui de la reine, « Oh ! ce qui me tourmente, il faut le leur cacher » (v. 619).

assonance *(n. f.)* : répétition d'un même son-voyelle. Ex. : l'assonance en « i » au vers 599, « Sitôt que je le vis, je ne vis plus que lui ».

baroque *(n. m.)* : courant artistique s'opposant au classicisme et se caractérisant par la relativité, la fantaisie, la démesure et l'irrégularité.

burlesque *(adj. et n. m.)* : 1. d'un comique grossier. 2. traitement parodique d'un sujet sérieux.

cénacle *(n. m.)* : réunion d'un petit groupe d'artistes partageant les mêmes idées, les mêmes conceptions esthétiques. Le Cénacle désigne les auteurs regroupés autour de Victor Hugo.

césure *(n. f.)* : coupe centrale qui sépare un alexandrin en deux hémistiches.

classicisme *(n. m.)* : courant artistique dont les principales caractéristiques sont la recherche de l'universalité, l'imitation des Anciens, la modération et la régularité (la soumission à des règles de création).

coup de théâtre : brutal renversement de situation, rebondissement. Ex. : l'apparition soudaine de don Salluste dans la scène 5 de l'acte III.

délibération *(n. f.)* : discussion ou discours qui traduit les hésitations d'un personnage. Ex. : la délibération de Ruy Blas dans la scène 1 de l'acte IV.

dénouement *(n. m.)* : achèvement et résolution de l'action.

didascalie *(n. f.)* : indication de décor et de jeux de scène ajoutée par l'auteur dans un texte de théâtre, au texte prononcé.

dramatique *(adj.)* : 1. relatif au théâtre. 2. qui exprime les tensions de l'action et la fait progresser.

dramaturgie *(n. f.)* : art de la composition au théâtre.

drame *(n. m.)* : genre théâtral ou pièce présentant un sujet moins élevé que la tragédie sous la forme d'une action violente et douloureuse.

élégie *(n. f.)* : discours empreint de tristesse, plainte. Ex. : la reine adopte un ton élégiaque pour exprimer son ennui aux vers 744 à 749.

enjambement *(n. m.)* : débordement d'une phrase commencée dans un vers jusqu'à la césure ou la fin du vers suivant, souvent dans un effet de continuité rythmique. Ex. : « Cet ange, qu'à genoux je contemple et je nomme, / D'un mot me transfigure et me fait plus qu'un homme » (v. 1289-1290).

épopée *(n. f.)* : genre littéraire qui procède par amplification et simplification d'une action ou d'événements historiques.

esthétique *(adj. et n. f.)* : 1. au sens commun, beau. 2. conception particulière du beau et de l'art.

exposition *(n. f.)* : présentation du nœud dramatique, des principaux personnages, des faits qui ont préparé l'action.

farce *(n. f.)* : genre de comique, au théâtre, utilisant des procédés assez simples et parfois grossiers. Ex. : le style de la scène 3 de l'acte IV.

grotesque *(adj. et n. m.)* : 1. bouffon, bizarre. 2. genre littéraire caractérisé par la caricature, le goût du difforme, du comique et parfois de l'horrible. Ex. : le personnage de don César appartient à cette veine du grotesque.

hémistiche *(n. m.)* : moitié de vers.

hyperbole *(n. f.)* : exagération d'une image ou d'une idée. Ex. : aux vers 361 à 363, Ruy Blas utilise un style hyperbolique pour évoquer sa passion pour la reine : « Oui, compose un poison affreux, creuse un abîme / Plus sourd que la folie et plus noir que le crime, / Tu n'approcheras pas encore de mon secret. »

idéologie *(n. f.)* : ensemble des idées, des croyances et des doctrines (religion, politique, esthétique) propres à une époque, à une société, à une classe.

interrogation oratoire (ou rhétorique) : interrogation visant à frapper son auditoire et dont on connaît la réponse. Ex. : au vers 2203, Ruy Blas lance ironiquement cette interrogation oratoire à Don Salluste : « Maître ! est-ce que je suis un gentilhomme, moi ? »

intrigue *(n. f.)* : ensemble des péripéties et des combinaisons imaginées par les personnages pour faire avancer ou pour retarder l'action.

ironie *(n. f.)* : manière de critiquer, par la moquerie, quelqu'un ou quelque chose en affirmant le contraire de ce qu'on pense ou en exagérant un discours ou une situation pour les rendre dérisoires. Ex. : Ruy Blas utilise l'ironie de l'antiphrase lorsqu'il apostrophe les ministres aux vers 1059-1061, « ô ministres intègres ! / Conseillers vertueux ! voilà votre façon / De servir... »

lyrisme *(n. m.)* : expression poétique des émotions et des sentiments personnels. Ex. : la tirade de Ruy Blas dans la scène 4 de l'acte III est lyrique.

mélioratif *(adj.)* : qui présente une réalité ou une idée sous un jour favorable. Ex. : au vers 1186, la reine emploie des adjectifs mélioratifs pour louer chez Ruy Blas « Cette loyale main si ferme et si sincère ».

mélodrame *(n. m.)* : drame populaire caractérisé par ses multiples rebondissements, son manichéisme et la recherche d'émotions fortes chez le spectateur par un spectacle de la violence.

métaphore *(n. f.)* : figure de style par analogie. Ex. : dans sa lettre à la reine, Ruy Blas se présente dans une métaphore comme un « vers de terre amoureux d'une étoile » (v. 798).

monologue *(n. m.)* : réplique qu'un personnage seul en scène s'adresse à lui-même.

nœud dramatique : ensemble des relations et des circonstances qui conduisent l'action à son point culminant.

pamphlet *(n. m.)* : œuvre courte, destinée à critiquer quelqu'un ou quelque chose, en termes plus ou moins violents.

parodie *(n. f.)* : imitation destinée à faire rire. Ex. : don César parodie le style galant dans la scène 4 de l'acte IV.

pathétique *(adj. et n. m.)* : ce qui, dans une œuvre, émeut fortement.

péjoratif *(adj.)* : qui présente une réalité ou une idée sous un jour défavorable. Ex. : Ruy Blas utilise une image péjorative pour stigmatiser ceux qui dilapident l'héritage de Charles Quint, « un tas de nains difformes / Se taillent des pourpoints dans ton manteau de roi » (v. 1154-1155).

personnification *(n. f.)* : représentation d'une chose ou d'une idée sous les traits d'une personne. Ex. : la personnification de l'Europe, aux vers 1131-1132 : « L'Europe, hélas ! écrase du talon / Ce pays qui fut pourpre et n'est plus que haillon. »

picaresque *(adj. et n. m.)* : relatif aux aventuriers (les « pícaros » de la littérature espagnole). Ex. : le récit de don César, aux vers 1577 à 1591, est picaresque.

prosopopée *(n. f.)* : discours prêté à un personnage absent ou mort. Ex. : la prosopopée de Charles Quint aux vers 1139 à 1158.

quiproquo *(n. m.)* : situation qui résulte d'une méprise (qui peut porter, par exemple, sur l'identité d'un personnage). Ex. : les quiproquos de l'acte IV sur l'identité de don César.

rejet *(n. m.)* : mise en relief d'un élément d'une phrase commencée dans un vers en le repoussant au début du vers suivant. Ex. : Ruy Blas plaint la reine, « Mariée à ce roi qui passe tout son temps / À chasser... » (I, 3).

réplique *(n. f.)* : parole prononcée par un personnage au théâtre.

satire *(n. f.)* : discours critique sous la forme d'une moquerie. Ex. : dans la tirade du « Bon appétit, messieurs », Ruy Blas entreprend la satire de la corruption des ministres du roi d'Espagne (III, 2).

sublime *(adj. et n. m.)* : 1. noble, élevé. 2. style propre aux genres (tragédie, épopée, hymne) et aux sujets élevés. Ex. : le sacrifice de Ruy Blas dans la dernière scène (V, 4) touche au sublime.

théâtralité *(n. f.)* : attitude théâtrale.

tirade *(n. f.)* : une longue réplique. Ex. : celle du « Bon appétit, messieurs » (III, 2).

tragédie *(n. f.)* : genre littéraire qui met en scène des personnages qui affrontent, dans la douleur et le plus souvent jusqu'à la mort, les forces contraires du destin.

travestissement *(n. m.)* : déguisement.

Dans la nouvelle collection
Classiques Larousse

H. C. Andersen : *La Petite Sirène, et autres contes.*

H. de Balzac : *les Chouans ; Eugénie Grandet.*

C. Baudelaire : *les Fleurs du mal.*

P. de Beaumarchais : *le Barbier de Séville ; le Mariage de Figaro.*

F. R. de Chateaubriand : *Mémoires d'outre-tombe,* livres I à III), *René.*

P. Corneille : *le Cid ; Cinna ; Horace ; l'Illusion comique ; Polyeucte.*

A. Daudet : *Lettres de mon moulin.*

D. Diderot : *le Neveu de Rameau.*

G. Flaubert : *Hérodias ; Un cœur simple.*

T. Gautier : *la Morte amoureuse, Contes et récits fantastiques.*

J. Giraudoux : *La guerre de Troie n'aura pas lieu.*

J. et W. Grimm : *Hansel et Gretel, et autres contes.*

V. Hugo : *Hernani.*

E. Labiche : *la Cagnotte ; le Voyage de M. Perrichon.*

La Bruyère : *les Caractères.*

Mme de Lafayette : *la Princesse de Clèves.*

La Fontaine : *Fables,* livres I à VI.

P. de Marivaux : *la Double Inconstance ; les Fausses Confidences ; l'Île des esclaves ; le Jeu de l'amour et du hasard.*

G. de Maupassant : *Boule de suif, et autres nouvelles de guerre ; le Horla ; la Peur et autres contes fantastiques ; Un réveillon, contes et nouvelles de Normandie.*

P. Mérimée : *Carmen ; Colomba ; Mateo Falcone ; la Vénus d'Ille.*

Molière : *Amphitryon ; l'Avare ; le Bourgeois gentilhomme ; Dom Juan ; l'École des femmes ; les Femmes savantes ; les Fourberies de Scapin ; George Dandin ; le Malade imaginaire ; le Médecin malgré lui ; le Misanthrope ; les Précieuses ridicules ; le Tartuffe.*

M. de Montaigne : *Essais* (extraits).

Ch. L. de Montesquieu : *De l'esprit des lois* (extraits) : *Lettres persanes.*

A. de Musset : *les Caprices de Marianne ; Lorenzaccio ; On ne badine pas avec l'amour.*

G. de Nerval : *Sylvie.*

Les Orateurs de la Révolution française.

Ch. Perrault : *Histoires ou Contes du temps passé.*

E. A. Poe : *Double Assassinat dans la rue Morgue, la Lettre volée.*

J. Racine : *Andromaque ; Bajazet ; Bérénice ; Britannicus ; Iphigénie ; Phèdre.*

Edmond Rostand : *Cyrano de Bergerac.*

J.-J. Rousseau : *Rêveries d'un promeneur solitaire.*

G. Sand : *La Mare au diable.*

Le Surréalisme et ses alentours.

Voltaire : *Candide ; l'Ingénu ; Zadig.*

(extrait du catalogue général des *Classiques Larousse.*)

Collection fondée par Félix Guirand en 1933, poursuivie par Léon Lejealle de 1945 à 1968, puis par Jacques Demougin jusqu'en 1987.

Nouvelle édition
Conception éditoriale : Noëlle Degoud.
Conception graphique : François Weil.
Coordination éditoriale : Emmanuelle Fillion.
Collaboration rédactionnelle : Cécile Botlan.
Coordination de fabrication : Marlène Delbeken.
Documentation iconographique : Marie-Annick Réveillon.
Dessins : Thierry Chauchat p. 10.
Schéma : Guy Calka p. 10.

Sources des illustrations
Agnès Varda-Enguérand : p. 124, 135, 170.
Bibliothèque nationale : p. 21, 232.
Bulloz : p. 16, 17, 22.
Christophe L. : p. 14.
Coll. Viollet : p. 5.
Giraudon : p. 80.
Jean Loup Charmet : p. 19, 36.
Larousse : p. 211.
Lipnitzki-Viollet : p. 45.
Marc Enguérand : p. 69, 116, 210.
Monique Rubinel-Enguérand : p. 69, 116, 210.
N.D. Viollet : p. 8.

COMPOSITION : OPTIGRAPHIC.
IMPRIMERIE HÉRISSEY. – 27000 ÉVREUX. – N° 74967.
Dépôt légal : Janvier 1995. – N° Série Éditeur : 19146.
IMPRIMÉ EN FRANCE *(Printed in France)*. 871 185 - O-Novembre 1996.